힘이 붙는 수학

연산

단계별 학습 내용

1 초1 수준

A	B
1단계 9까지의 수	1단계 100까지의 수
2단계 9까지의 수를 모으기, 가르기	2단계 덧셈과 뺄셈(1)
3단계 덧셈과 뺄셈	3단계 덧셈과 뺄셈(2)
4단계 50까지의 수	4단계 덧셈과 뺄셈(3)

2 초2 수준

A	B
1단계 세 자리 수	1단계 네 자리 수
2단계 덧셈과 뺄셈	2단계 곱셈구구
3단계 덧셈과 뺄셈의 관계	3단계 길이의 계산
4단계 세 수의 덧셈과 뺄셈	4단계 시각과 시간
5단계 곱셈	

3 초3 수준

A	B
1단계 덧셈과 뺄셈	1단계 곱셈
2단계 나눗셈	2단계 나눗셈
3단계 곱셈	3단계 분수
4단계 길이와 시간	4단계 들이
5단계 분수와 소수	5단계 무게

전체 학습 설계도를 보고 초등 수학의 과정을 알 수 있습니다.

4 초4 수준

A	B
1단계 큰 수	1단계 분수의 덧셈
2단계 각도	2단계 분수의 뺄셈
3단계 곱셈	3단계 소수
4단계 나눗셈	4단계 소수의 덧셈
	5단계 소수의 뺄셈

5 초5 수준

A	B
1단계 자연수의 혼합 계산	1단계 수의 범위
2단계 약수와 배수	2단계 어림하기
3단계 약분과 통분	3단계 분수의 곱셈
4단계 분수의 덧셈과 뺄셈	4단계 소수의 곱셈
5단계 다각형의 둘레와 넓이	5단계 평균

6 초6 수준

A	B
1단계 분수의 나눗셈	1단계 분수의 나눗셈
2단계 소수의 나눗셈	2단계 소수의 나눗셈
3단계 비와 비율	3단계 비례식
4단계 직육면체의 부피와 겉넓이	4단계 비례배분
	5단계 원의 넓이

이렇게 공부해 봐

1 개념 정리

DAY 01

1단계 수의 범위

1. 이상과 이하

예 6 이상인 수

1 2 3 4 5 6 7 8 9 10

6 이상인 수에는 6이 꼭 포함돼!

6과 같거나 큰 수

★ 이상인 수는 ★과 같거나 큰 수야.

수의 범위에 포함되는 수를 모두 찾아 ○표 하세요.

1 5 이상인 수 2 8 이상인 수

개념 정리 내용을 확인하며 계산 원리를 충분히 이해해요.

2 연산 학습

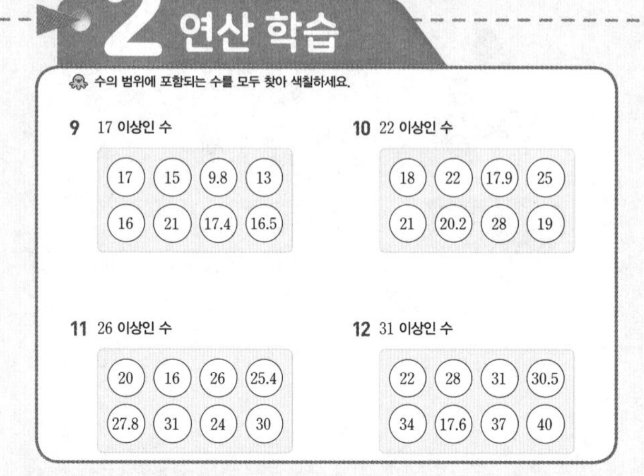

수의 범위에 포함되는 수를 모두 찾아 색칠하세요.

9 17 이상인 수

17 15 9.8 13
16 21 17.4 16.5

10 22 이상인 수

18 22 17.9 25
21 20.2 28 19

11 26 이상인 수

20 16 26 25.4
27.8 31 24 30

12 31 이상인 수

22 28 31 30.5
34 17.6 37 40

다양한 유형의 연산 문제를 통해 연산력을 강화해요. 매일 연산 학습을 반복하면 더 효과적으로 학습할 수 있어요.

3 생활 속 연산

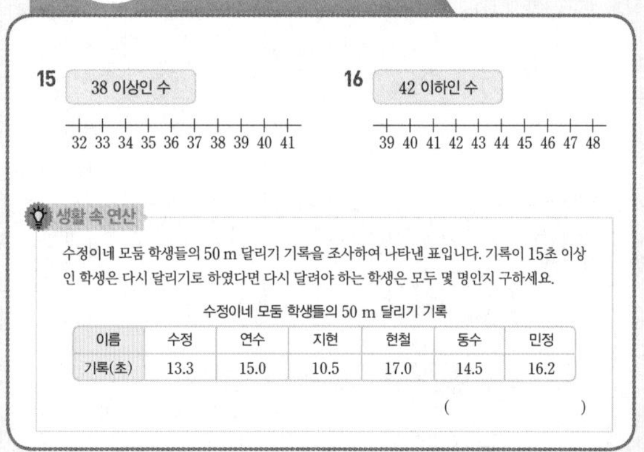

15 38 이상인 수

32 33 34 35 36 37 38 39 40 41

16 42 이하인 수

39 40 41 42 43 44 45 46 47 48

생활 속 연산

수정이네 모둠 학생들의 50 m 달리기 기록을 조사하여 나타낸 표입니다. 기록이 15초 이상인 학생은 다시 달리기로 하였다면 다시 달려야 하는 학생은 모두 몇 명인지 구하세요.

수정이네 모둠 학생들의 50 m 달리기 기록

이름	수정	연수	지현	현철	동수	민정
기록(초)	13.3	15.0	10.5	17.0	14.5	16.2

(　　　　　)

다양한 실생활 속 상황에서 연산력을 키워 문제를 해결해요.

4 마무리 연산

DAY 10

1단계 수의 범위

마무리 연산

수의 범위에 포함되는 수를 모두 찾아 ○표 하세요.

1 17 이상인 수

15 17 14.6 21.5 19 6.8

2 25 이상인 수

21 27.5 40 19 23.6 33

3 15 이하인 수

17 21 11 10.7 29 6

4 32 이하인 수

28 35 32.6 16 40 31

연산 학습을 잘했는지 문제를 풀어 보며 확인해요.

Contents 차례

1

수의 범위

학습 결과와 시간을 써 보세요!

학습 내용	학습 회차	맞힌 개수/걸린 시간
1. 이상과 이하	DAY 01	/
	DAY 02	/
	DAY 03	/
2. 초과와 미만	DAY 04	/
	DAY 05	/
	DAY 06	/
3. 수의 범위	DAY 07	/
	DAY 08	/
	DAY 09	/
마무리 연산	DAY 10	/

◎ 1단계 수의 범위

1. 이상과 이하

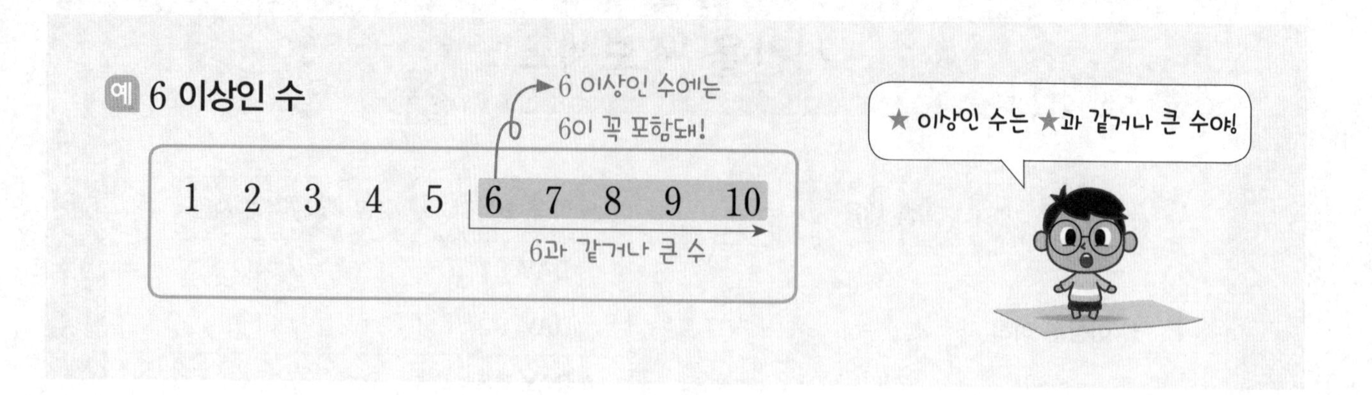

수의 범위에 포함되는 수를 모두 찾아 ○표 하세요.

1 5 이상인 수

2	3	4	(5)	(6)

2 8 이상인 수

6	7	8	9	10

3 10 이상인 수

7	9	10	14	18

4 13 이상인 수

9	11	12	14	17

5 19 이상인 수

13	20	9	17	19

6 21 이상인 수

21	5	30	16	28

7 25 이상인 수

24	20	29	35	27

8 32 이상인 수

25	35	12	32	44

수의 범위에 포함되는 수를 모두 찾아 색칠하세요.

9 17 이상인 수

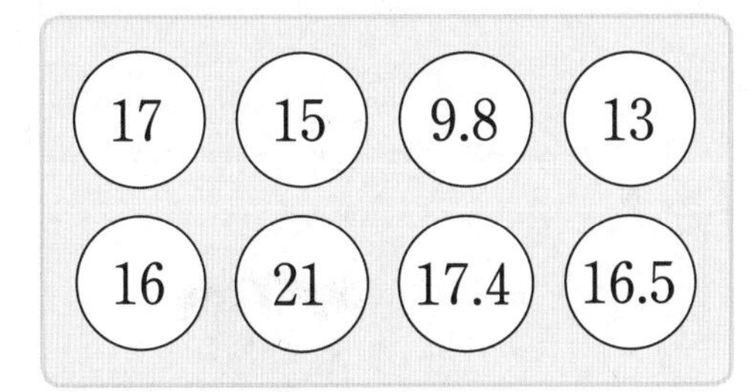

10 22 이상인 수

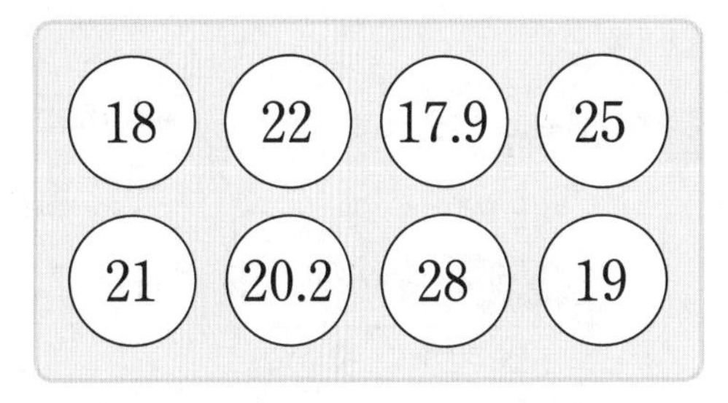

11 26 이상인 수

20 16 26 25.4

27.8 31 24 30

12 31 이상인 수

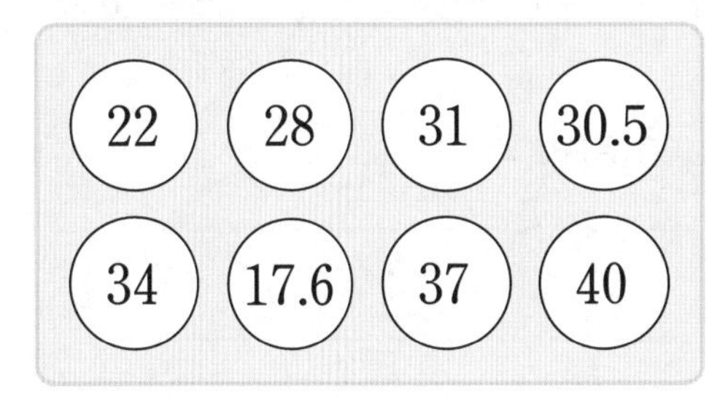

13 34 이상인 수

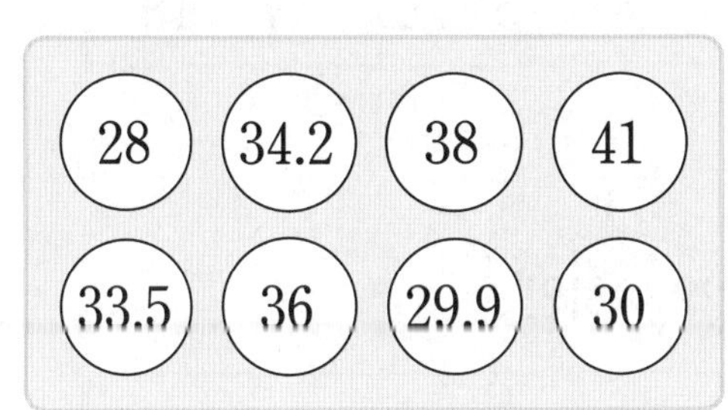

14 37 이상인 수

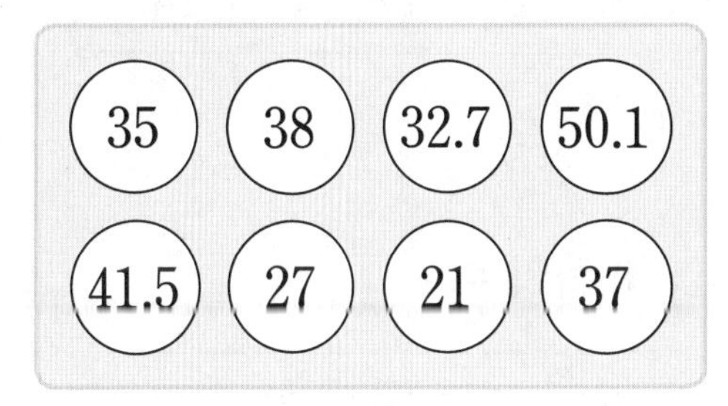

15 44 이상인 수

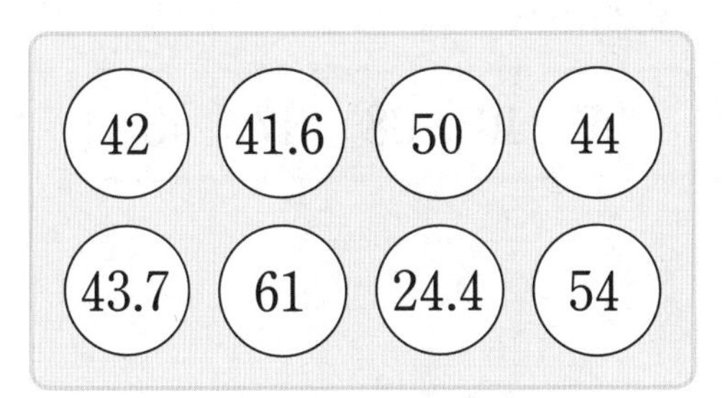

16 46 이상인 수

39 56 43 49.6

20.6 46 38.8 64

DAY 02

1단계 수의 범위

1. 이상과 이하

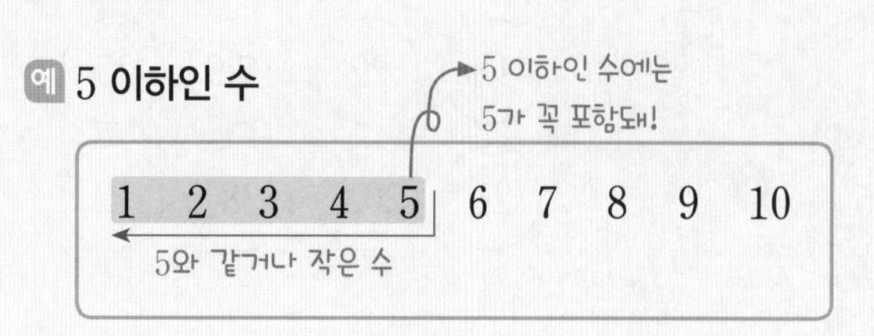

수의 범위에 포함되는 수를 모두 찾아 ○표 하세요.

1 4 이하인 수

(2) (3) (4) 5 6

2 7 이하인 수

6 7 8 9 10

3 12 이하인 수

10 11 12 13 14

4 15 이하인 수

14 15 16 17 18

5 20 이하인 수

15 21 19 20 28

6 28 이하인 수

38 41 28 18 24

7 33 이하인 수

35 22 33 45 51

8 43 이하인 수

46 40 38 47 43

수의 범위에 포함되는 수를 모두 찾아 색칠하세요.

9 8 이하인 수

9	4	9.8	8
12	7.5	15	10

10 13 이하인 수

14	17	12.6	23
13	21	13.2	9

11 19 이하인 수

19	20	39	19.5
21	14	17	18.3

12 23 이하인 수

25	22.6	32	23
18	27	21.9	38

13 27 이하인 수

28.4	31	27	26.4
17	21.8	37	29

14 33 이하인 수

34.1	41	32.6	54
30	38	28.5	33

15 36 이하인 수

53	32.4	26	35.8
48.5	36	37	42

16 45 이하인 수

48	44.5	51.8	43
36.3	60	55	45

17 47 이하인 수

53	47.2	46.8	39
67	47	57	40.8

18 52 이하인 수

54	48.6	61	51.7
52.6	42	70	52

1단계 수의 범위

1. 이상과 이하

수의 범위를 수직선에 나타내기

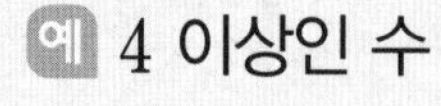

예 4 이상인 수

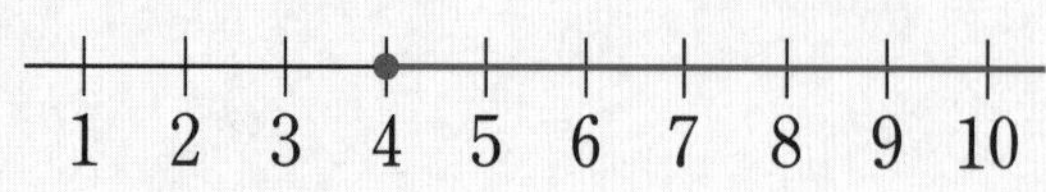

1 2 3 4 5 6 7 8 9 10

예 4 이하인 수

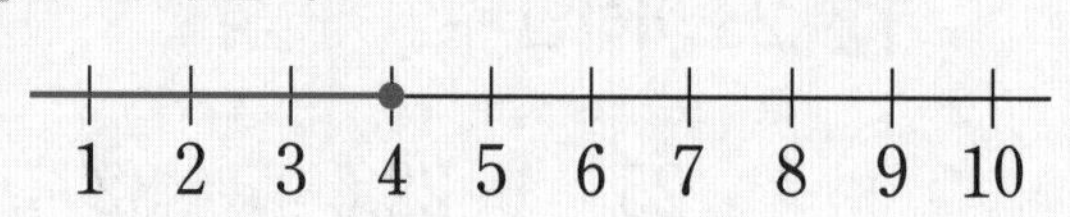

1 2 3 4 5 6 7 8 9 10

4 이상 또는 4 이하에는 4가 포함되므로 점 ●을 사용해!

수직선에 나타낸 수의 범위를 쓰세요.

1 1 2 3 4 5 6 7 8 9 10

( )

2 1 2 3 4 5 6 7 8 9 10

( )

3 8 9 10 11 12 13 14 15 16 17

( )

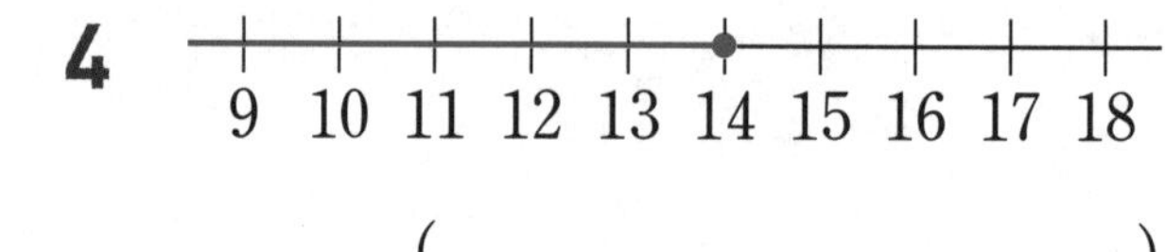

4 9 10 11 12 13 14 15 16 17 18

( )

5 16 17 18 19 20 21 22 23 24 25

( )

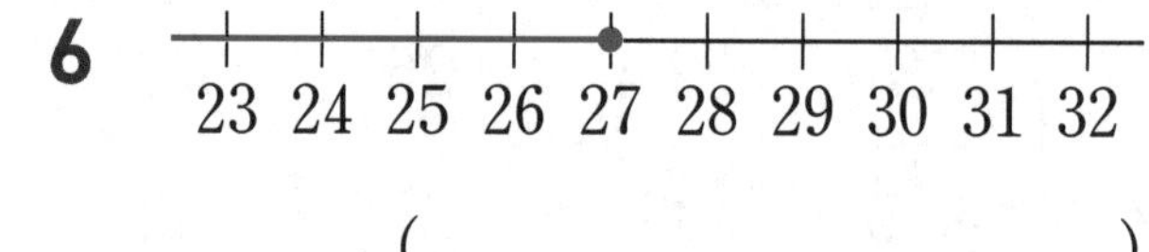

6 23 24 25 26 27 28 29 30 31 32

( )

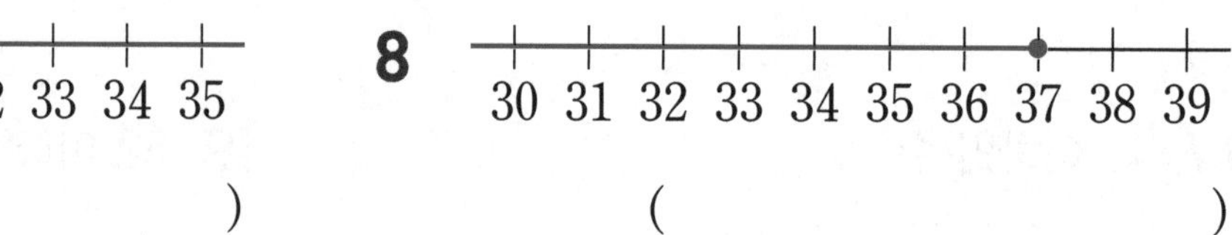

7 26 27 28 29 30 31 32 33 34 35

( )

8 30 31 32 33 34 35 36 37 38 39

( )

수의 범위를 수직선에 나타내세요.

9

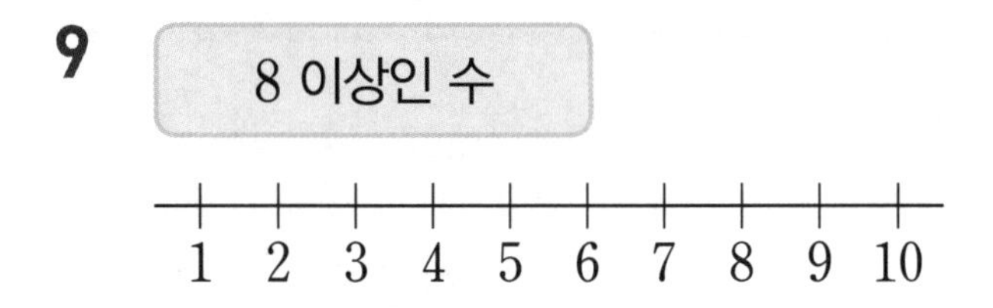

10

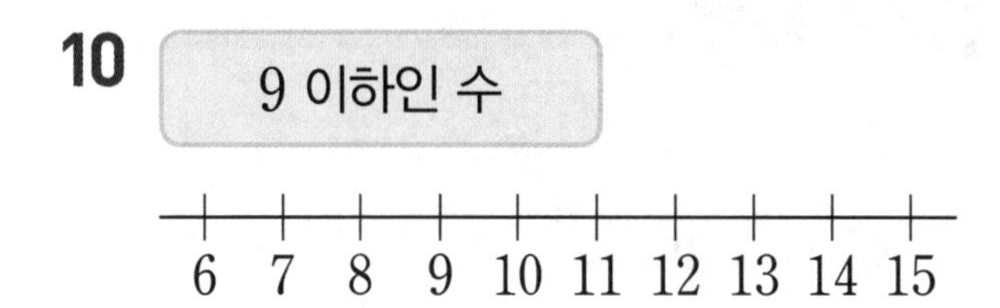

11

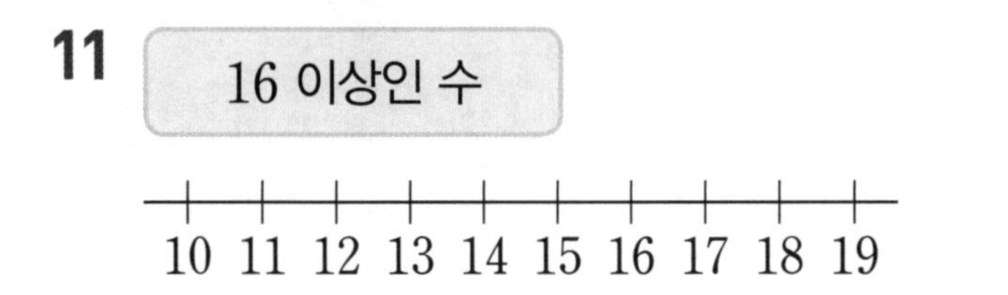

12

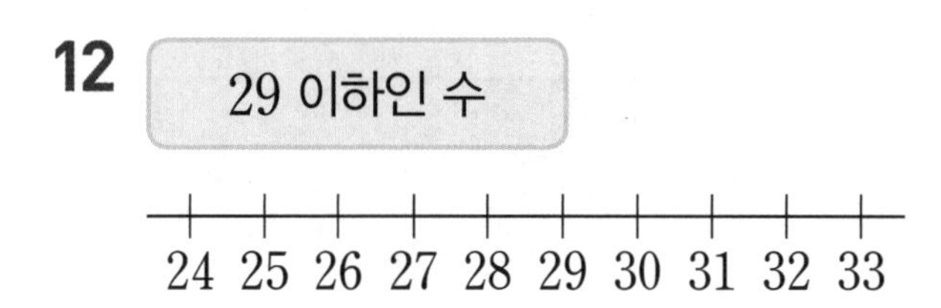

13

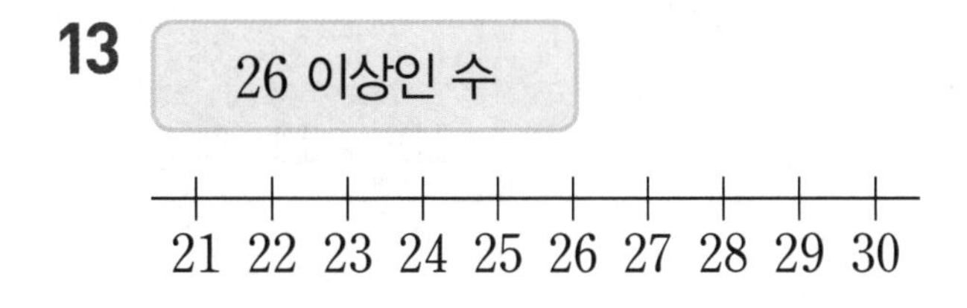

14

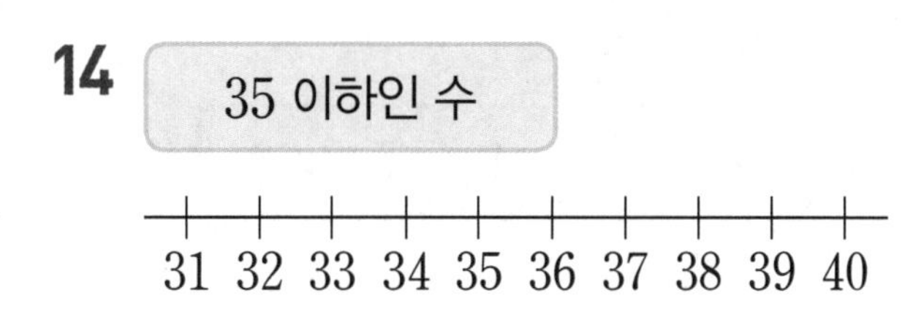

15

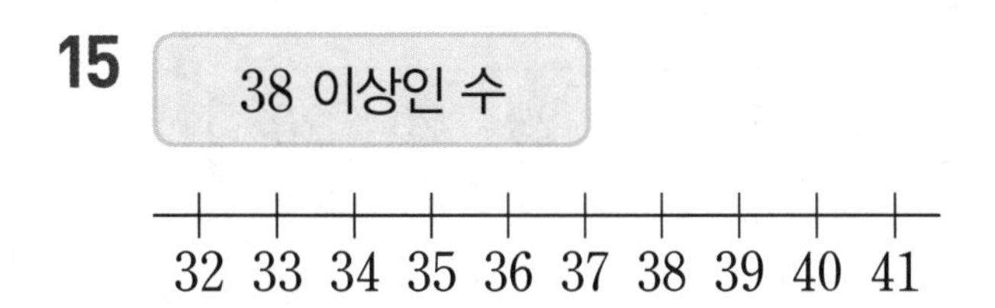

16

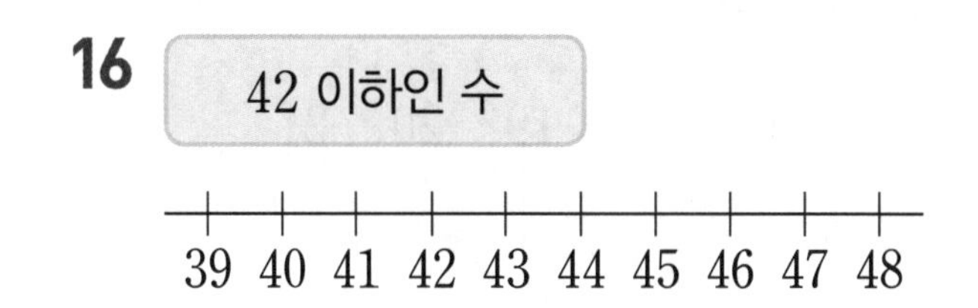

생활 속 연산

수정이네 모둠 학생들의 50 m 달리기 기록을 조사하여 나타낸 표입니다. 기록이 15초 이상인 학생은 다시 달리기로 하였다면 다시 달려야 하는 학생은 모두 몇 명인지 구하세요.

수정이네 모둠 학생들의 50 m 달리기 기록

이름	수정	연수	지현	현철	동수	민정
기록(초)	13.3	15.0	10.5	17.0	14.5	16.2

(　　　　　　　　)

DAY 04

1단계 수의 범위

2. 초과와 미만

예 5 초과인 수

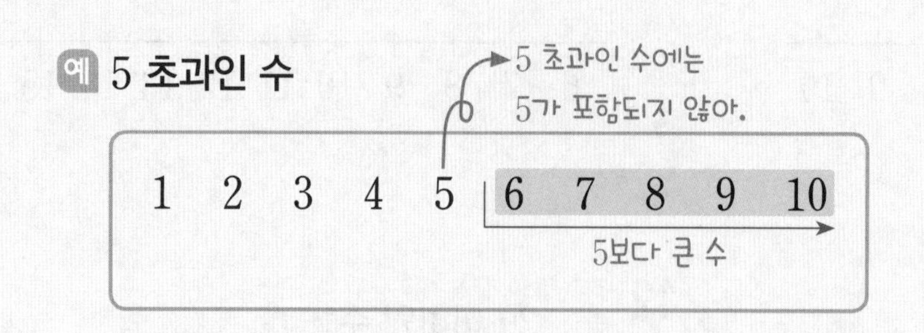

수의 범위에 포함되는 수를 모두 찾아 ○표 하세요.

1 3 초과인 수

2	3	(4)	(5)	(6)

2 9 초과인 수

7	8	9	10	11

3 18 초과인 수

17	18	19	20	21

4 23 초과인 수

18	24	23	20	26

5 28 초과인 수

23	29	30	28	32

6 32 초과인 수

32	40	24	36	31

7 43 초과인 수

40	38	43	45	50

8 52 초과인 수

45	55	52	62	48

수의 범위에 포함되는 수를 모두 찾아 색칠하세요.

9 15 초과인 수

10 23 초과인 수

21	30	22.9	12
23	25	23.8	17

11 36 초과인 수

29	35	37.5	47
36	41	39	18.3

12 39 초과인 수

53	28	40	38.5
42	39	27	39.2

13 42 초과인 수

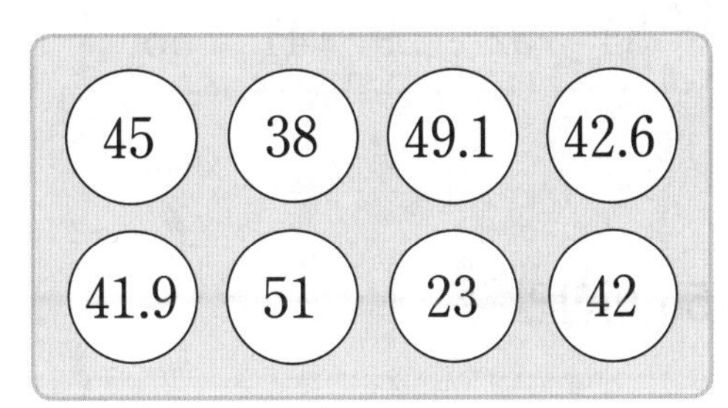

14 48 초과인 수

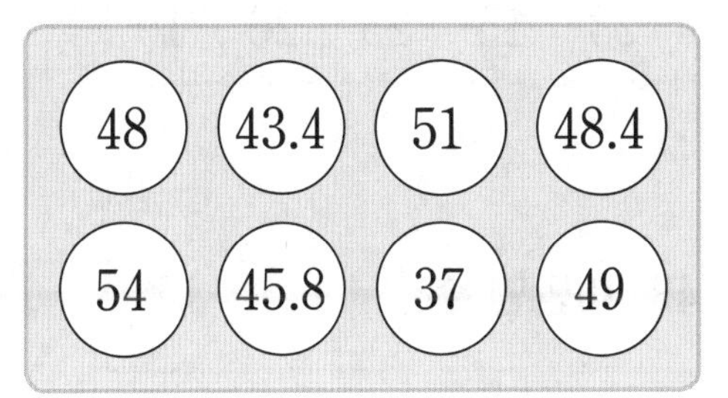

15 53 초과인 수

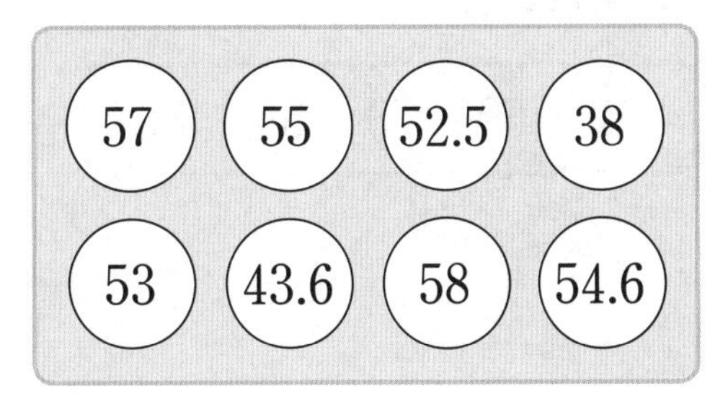

16 63 초과인 수

65	58	66.3	63
70.4	67	62.8	54

수의 범위

2. 초과와 미만

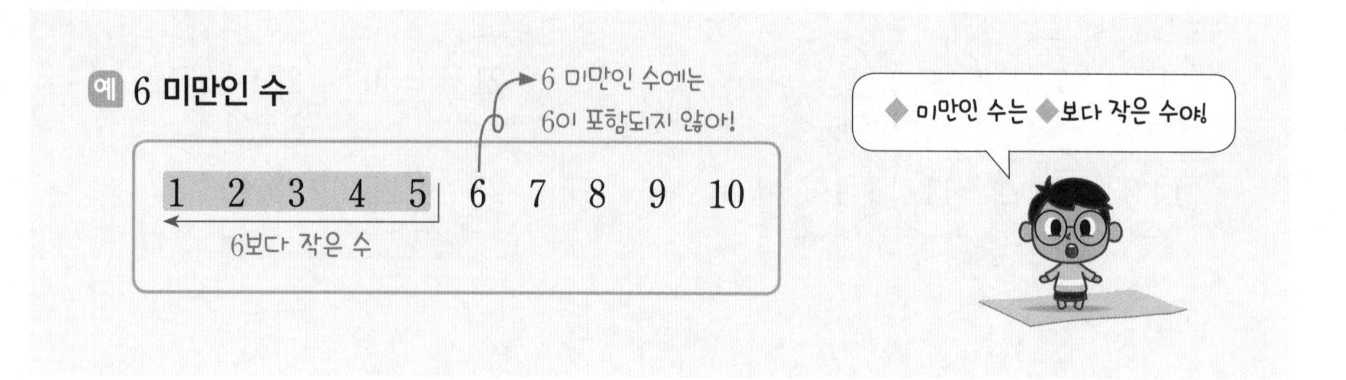

수의 범위에 포함되는 수를 모두 찾아 ○표 하세요.

1 8 미만인 수

5	6	7	8	9

2 15 미만인 수

13	14	15	16	17

3 25 미만인 수

23	15	25	26	19

4 33 미만인 수

34	32	29	41	33

5 43 미만인 수

38	43	48	28	41

6 56 미만인 수

54	57	49	60	51

7 64 미만인 수

65	39	64	70	62

8 72 미만인 수

72	69	73	59	71

수의 범위에 포함되는 수를 모두 찾아 색칠하세요.

9 6 미만인 수

4	6.4	7	5
6	3.5	8	10

10 10 미만인 수

11	8	10.6	4
17	15	9.7	10

11 17 미만인 수

17	16.8	20	11
15	14	19.9	21

12 24 미만인 수

20	24.6	31	18
21	28	23.9	33

13 36 미만인 수

36	33.8	39	41.5
35	29	37	35.3

14 42 미만인 수

39.7	45	41	41.3
51	42	40.7	48

15 57 미만인 수

67	51.6	57	16
56	59.2	70	54.9

16 63 미만인 수

64.8	46	62.6	71
63	57.6	84	61

17 68 미만인 수

71	66	68.8	59
80.7	55.8	67	84

18 74 미만인 수

77	64	74.5	80
73.9	59	81	71.3

06

1단계 수의 범위

2. 초과와 미만

● 수의 범위를 수직선에 나타내기

예 4 초과인 수

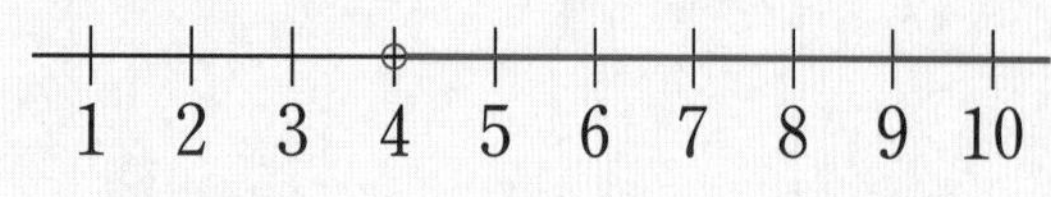

예 4 미만인 수

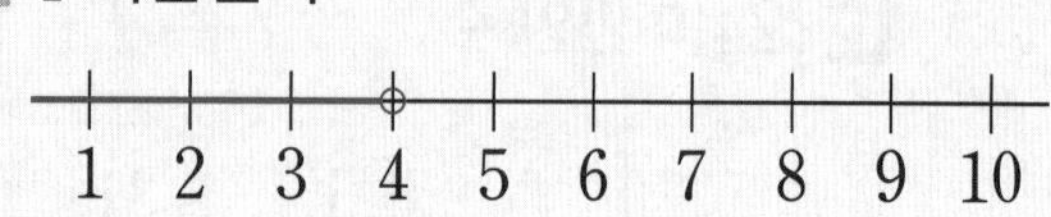

4 초과 또는 4 미만에는
4가 포함되지 않으므로
점 ○을 사용해!

수직선에 나타낸 수의 범위를 쓰세요.

1 1 2 3 4 5 6 7 8 9 10

( )

2 4 5 6 7 8 9 10 11 12 13

( )

3 10 11 12 13 14 15 16 17 18 19

( )

4 17 18 19 20 21 22 23 24 25 26

( )

5 18 19 20 21 22 23 24 25 26 27

( )

6 31 32 33 34 35 36 37 38 39 40

( )

7 41 42 43 44 45 46 47 48 49 50

( )

8 41 42 43 44 45 46 47 48 49 50

( )

수의 범위를 수직선에 나타내세요.

9 5 초과인 수

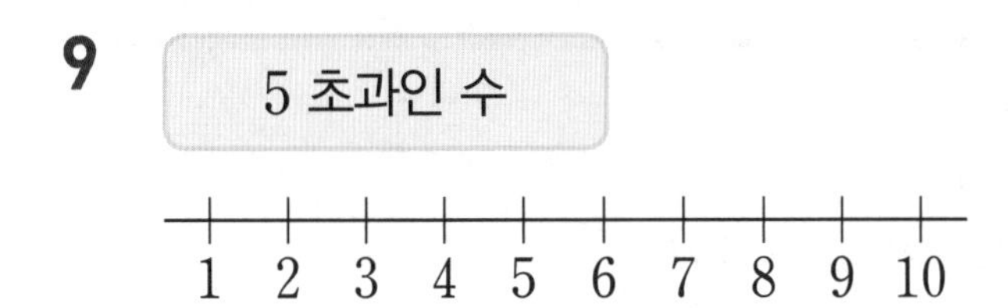

10 11 미만인 수

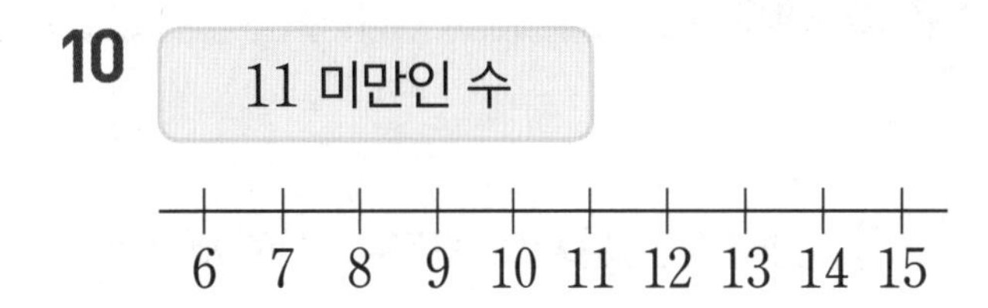

11 15 초과인 수

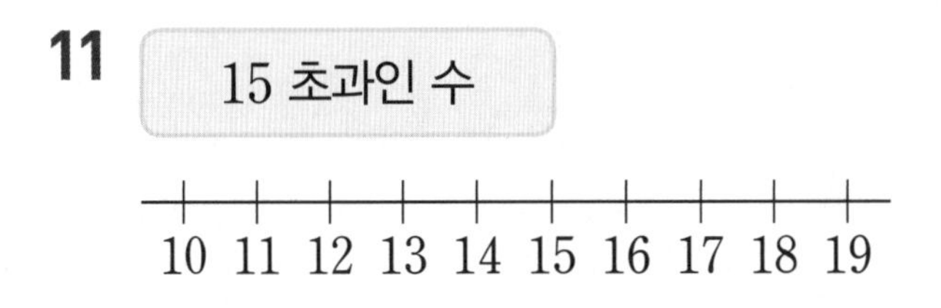

12 23 미만인 수

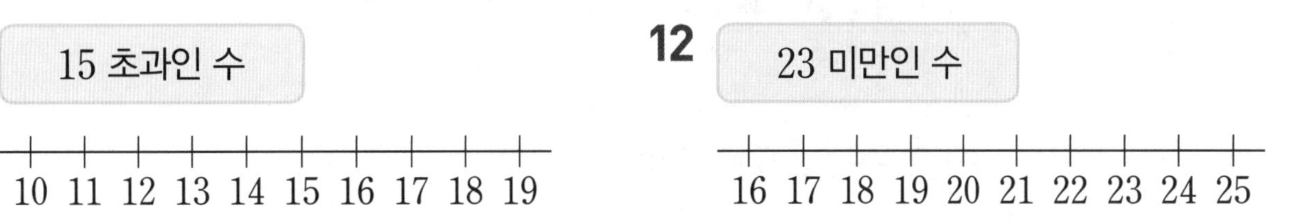

13 36 초과인 수

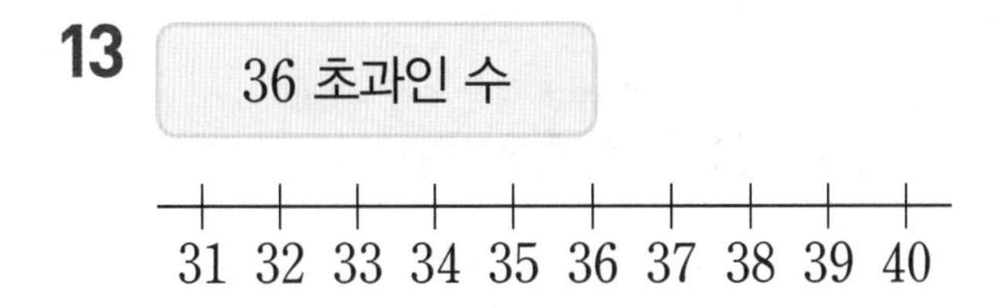

14 32 미만인 수

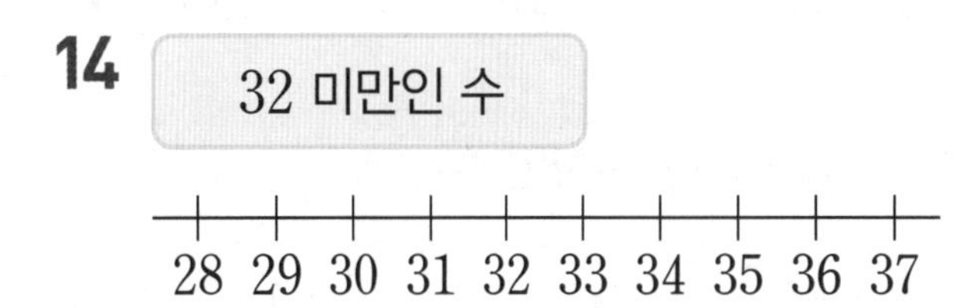

15 41 초과인 수

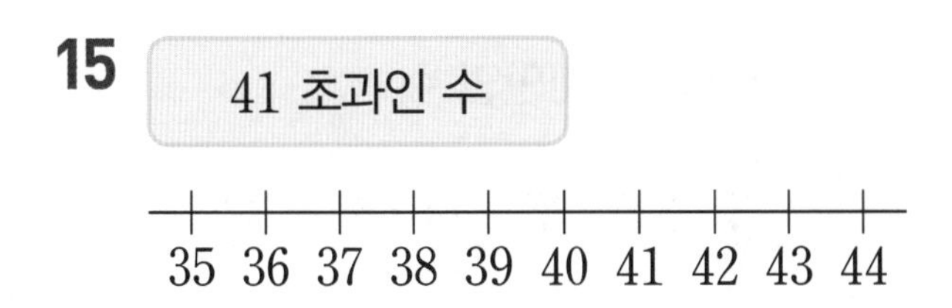

16 54 미만인 수

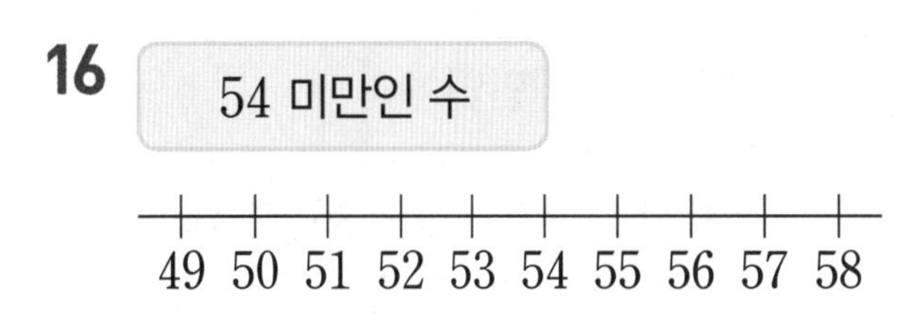

생활 속 연산

높이가 3 m 미만인 자동차만 통과할 수 있는 터널이 있습니다. 이 터널을 통과할 수 있는 자동차를 모두 찾아 기호를 쓰세요.

자동차의 높이

자동차	가	나	다	라	마
높이(m)	3.3	1.75	3	3.85	2.1

( )

DAY 07

1단계 수의 범위

3. 수의 범위

예 1부터 10까지의 자연수 중에서 4 이상 8 미만인 수 구하기

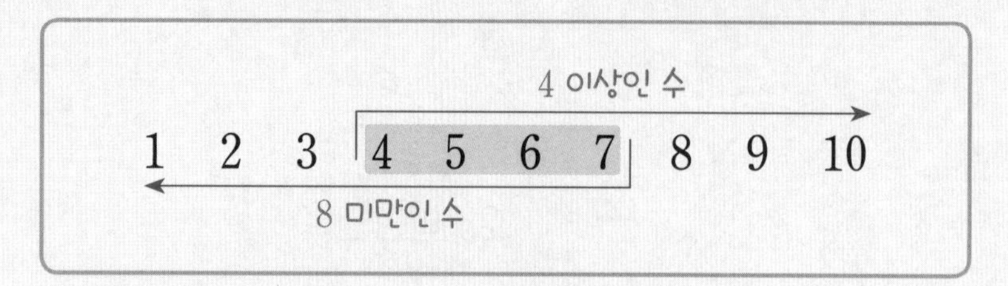

➔ 4 이상 8 미만인 수는 4, 5, 6, 7입니다.

수의 범위에 포함되는 수를 모두 찾아 ○표 하세요.

1 7 이상 11 이하인 수

6	(7)	(9)	(11)	15	17

2 13 이상 21 이하인 수

13과 같거나 크고 21과 같거나 작은 수를 구해!

11	13	18	21	22	25

3 16 이상 25 미만인 수

20	14	16	22	25	12

4 35 이상 43 미만인 수

43	37	35	44	41	33

5 13 초과 23 이하인 수

13	15	11	21	25	23

6 28 초과 32 이하인 수

32	27	35	29	31	28

7 14 초과 22 미만인 수

18	21	14	23	20	22

8 34 초과 47 미만인 수

34	37	47	41	32	43

수의 범위에 포함되는 수를 모두 찾아 색칠하세요.

9 6 이상 11 이하인 수

11.4	7	6.7	10
4	12	16	8.9

10 13 이상 22 미만인 수

13	22	21.8	11
15.7	25	12.5	20

11 23 초과 29 미만인 수

23	21	25	29.2
30	28	24.3	27

12 35 초과 42 이하인 수

44	38	35.6	48
42	33.5	41	34

13 41 이상 49 이하인 수

40	43	49.8	51
39.6	41	45	48.6

14 45 이상 53 미만인 수

45	54	52.5	42
38	49.1	53	50.6

15 64 초과 73 미만인 수

63	58	64.7	71
72.1	67	89	73.6

16 76 초과 84 이하인 수

77	85	83.2	74
69.7	80	76	79.9

17 81 이상 88 미만인 수

81	79	84.5	91
87	80.6	71	82.3

18 93 초과 99 이하인 수

89.4	93	99	90.6
94	78	96.3	95

3. 수의 범위

수의 범위에 포함되는 자연수를 모두 쓰세요.

1 4 이상 8 이하인 자연수

2 10 이상 13 이하인 자연수

3 16 초과 20 미만인 자연수

4 24 초과 29 미만인 자연수

5 28 이상 32 미만인 자연수

6 44 이상 49 미만인 자연수

7 49 초과 54 이하인 자연수

8 58 초과 61 이하인 자연수

9 67 이상 72 미만인 자연수

10 87 초과 92 이하인 자연수

주어진 수에서 수의 범위에 포함되는 수를 모두 찾아 쓰세요.

11

6 이상 9 이하인 수			
5.9	7	9.1	12
4.5	10	6	8.6

(   )

12

11 이상 17 이하인 수			
9	14.3	11	17.6
18.2	21	15.7	19

(   )

13

13 이상 18 미만인 수			
14.5	12	18.5	10
13	20.4	17	16.1

(   )

14

28 이상 31 미만인 수			
27.6	30	28	24.3
29.5	33.1	31	33

(   )

15

33 초과 44 이하인 수			
37.8	35	44	32.8
38.2	45	33	51.6

(   )

16

55 초과 59 이하인 수			
49	53.2	59.4	56
55	60.6	57.8	58

(   )

17

35 초과 40 미만인 수			
35	41.8	39	50.2
44.3	36.5	40	38

(   )

18

42 초과 48 미만인 수			
49	42	48.2	47.4
36.8	44	41.8	45

(   )

3. 수의 범위

● 수의 범위를 수직선에 나타내기

예 4 이상 9 이하인 수

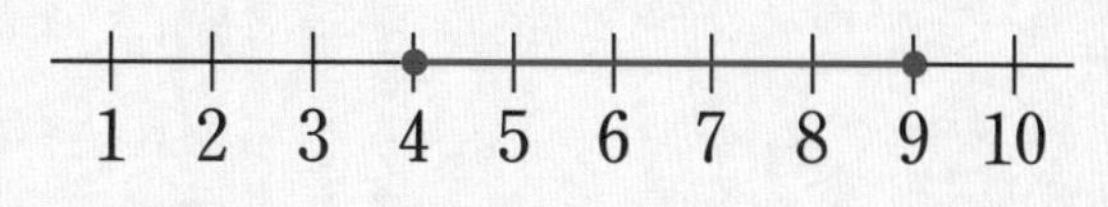

예 4 이상 9 미만인 수

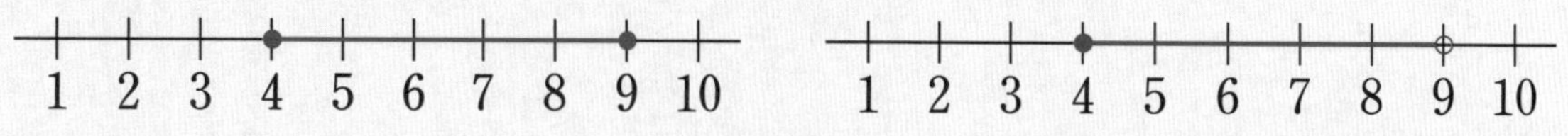

예 4 초과 9 이하인 수

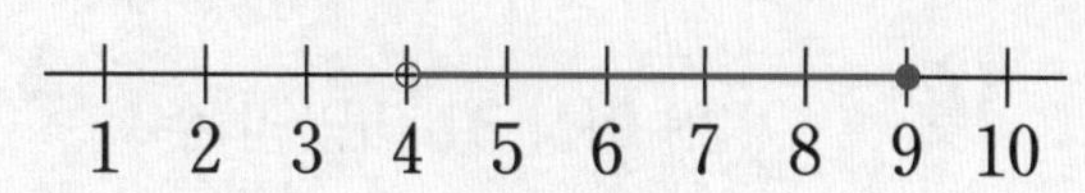

예 4 초과 9 미만인 수

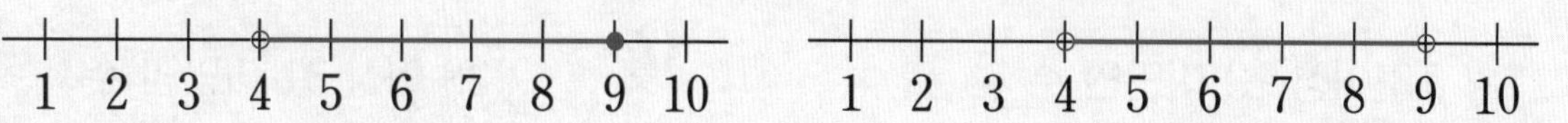

수의 범위를 수직선에 나타내세요.

1 3 이상 7 이하인 수

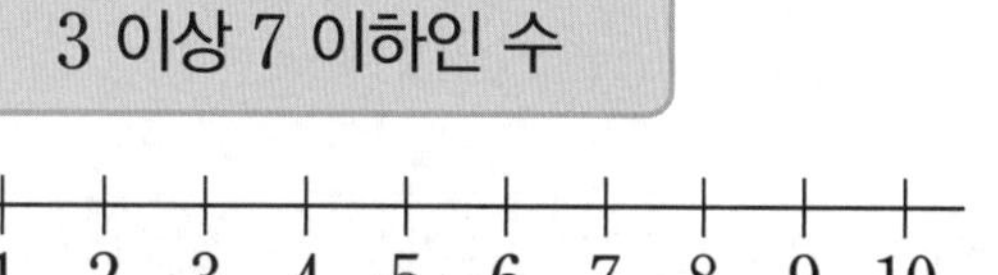

2 12 이상 16 미만인 수

11 12 13 14 15 16 17 18 19 20

3 18 초과 23 미만인 수

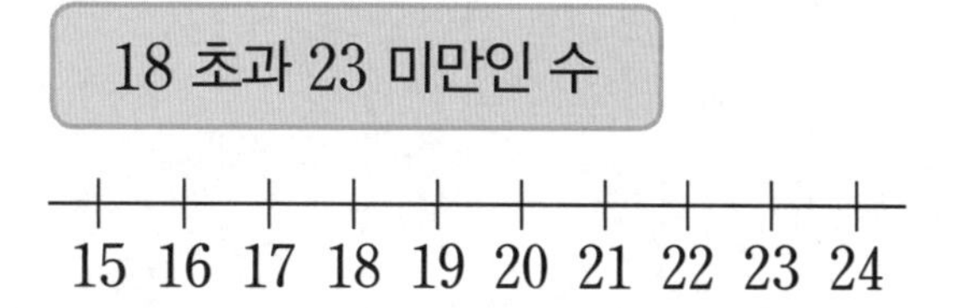

4 21 초과 25 이하인 수

18 19 20 21 22 23 24 25 26 27

5 46 이상 51 미만인 수

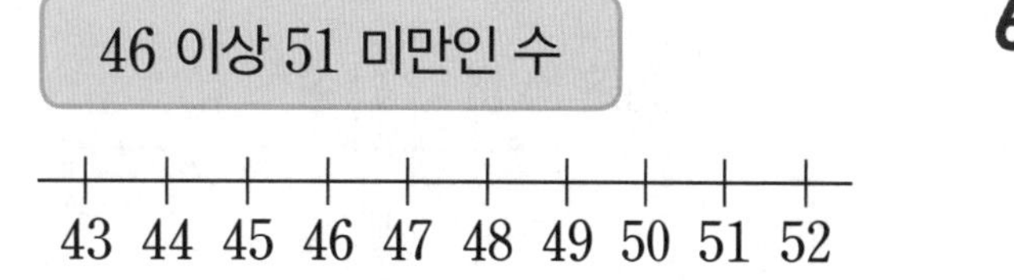

6 77 초과 83 이하인 수

75 76 77 78 79 80 81 82 83 84

수직선에 나타낸 수의 범위를 보고 ☐ 안에 이상, 이하, 초과, 미만 중에서 알맞은 말을 써넣으세요.

7

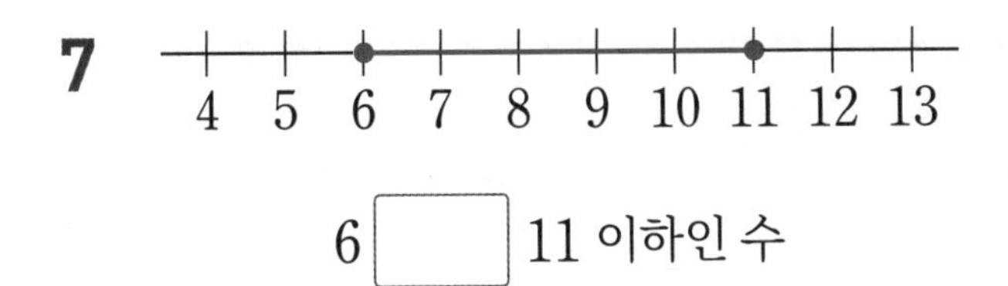

6 ☐ 11 이하인 수

8

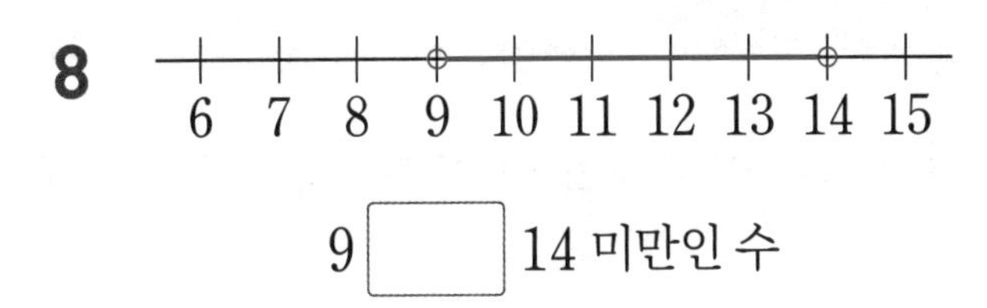

9 ☐ 14 미만인 수

9

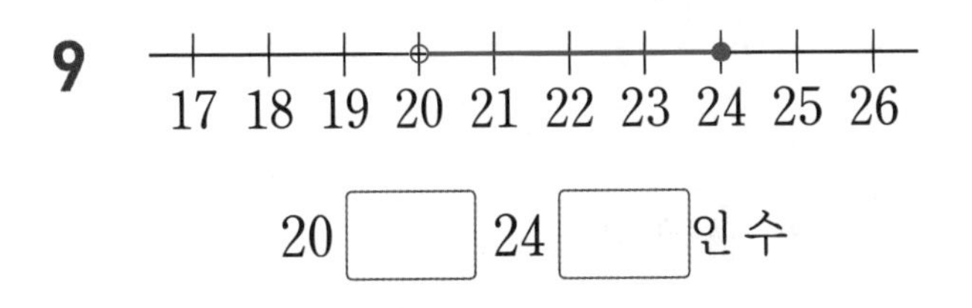

20 ☐ 24 ☐ 인 수

10

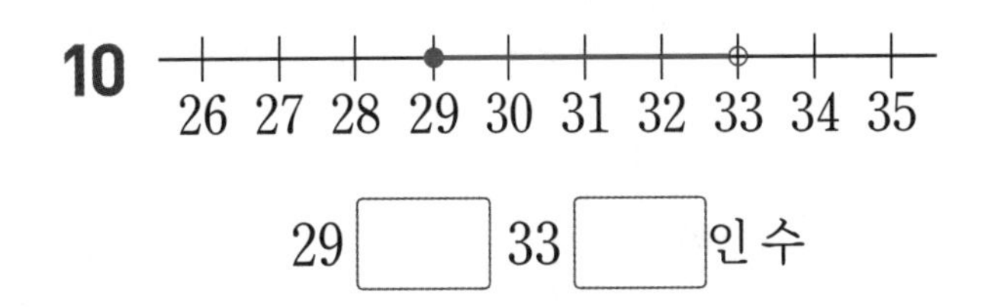

29 ☐ 33 ☐ 인 수

11

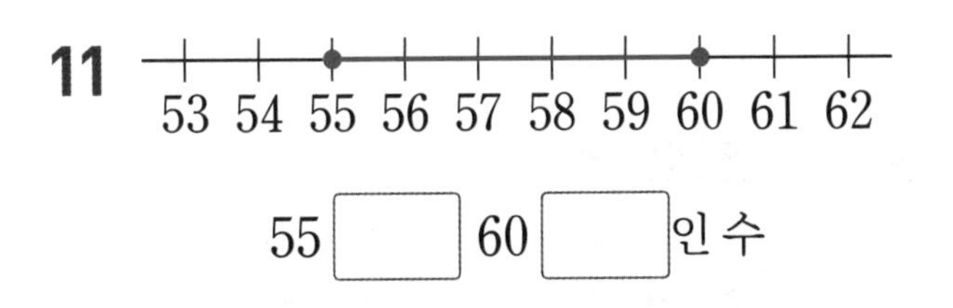

55 ☐ 60 ☐ 인 수

12

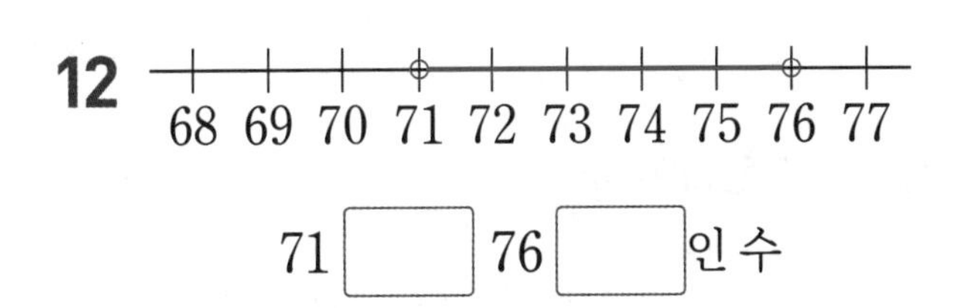

71 ☐ 76 ☐ 인 수

13

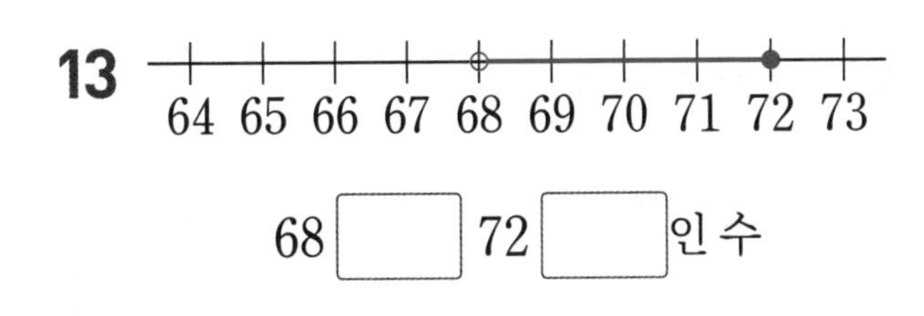

68 ☐ 72 ☐ 인 수

14

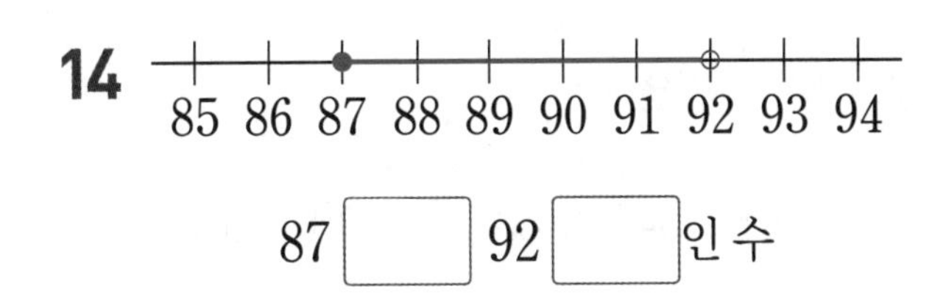

87 ☐ 92 ☐ 인 수

생활 속 연산

우리나라 여러 도시의 5월 최저 기온을 조사하여 나타낸 표입니다. 최저 기온이 4 ℃ 초과 11 ℃ 이하인 도시를 모두 찾아 쓰세요.

도시별 5월 최저 기온

도시	서울	춘천	충주	대구	부산	정선	제주
기온(℃)	8.4	4.0	2.7	7.2	11.0	0.7	11.9

(출처: 2019년 5월 기온, 통계청)

(   )

수의 범위

마무리 연산

수의 범위에 포함되는 수를 모두 찾아 ○표 하세요.

1 17 이상인 수

15 17 14.6 21.5 19 6.8

2 25 이상인 수

21 27.5 40 19 23.6 33

3 15 이하인 수

17 21 11 10.7 29 6

4 32 이하인 수

28 35 32.6 16 40 31

5 27 초과인 수

32 27 30.5 29 19 24.8

6 43 초과인 수

53 43.6 39 25 49 40

7 52 미만인 수

48 54 50.3 32 60 52.1

8 64 미만인 수

64 69 72.3 59 62.7 61

9 25 이상 32 이하인 수

23 25 33.6 31 29.6 19

10 36 이상 42 미만인 수

29 36 38.5 42 40 51

11 47 초과 54 이하인 수

45 47.6 55 49 54 54.6

12 76 초과 82 미만인 수

76 81 82.7 79 76.5 83

수직선에 나타낸 수의 범위를 쓰세요.

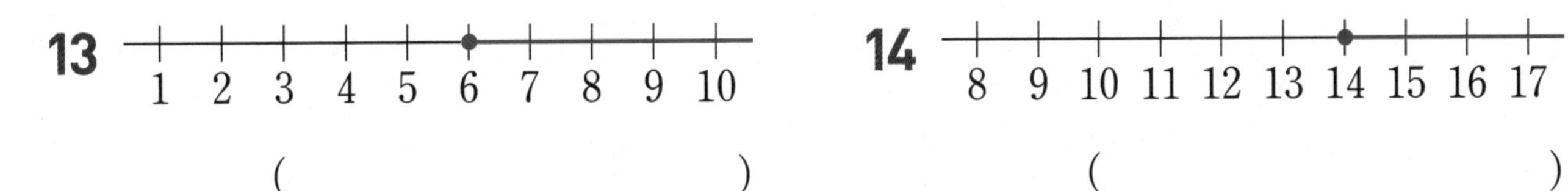

13 1 2 3 4 5 6 7 8 9 10

( )

14 8 9 10 11 12 13 14 15 16 17

( )

15 6 7 8 9 10 11 12 13 14 15

( )

16

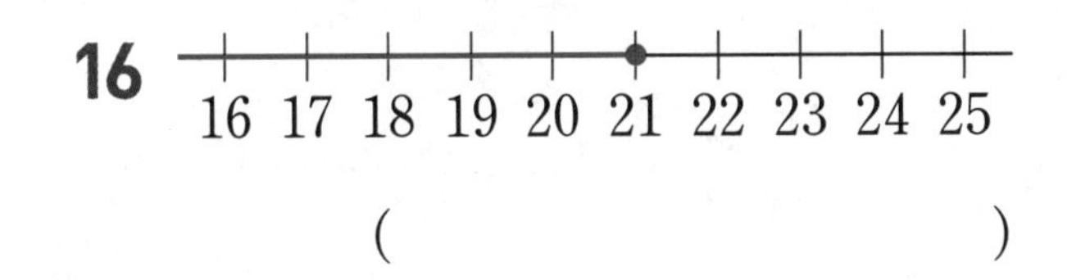

( )

17 41 42 43 44 45 46 47 48 49 50

( )

18

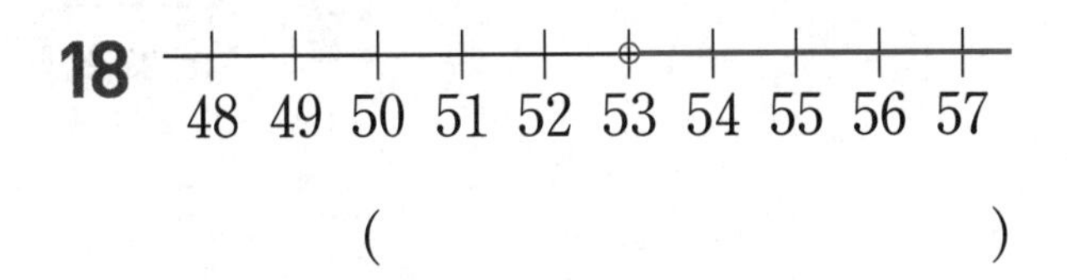

( )

19

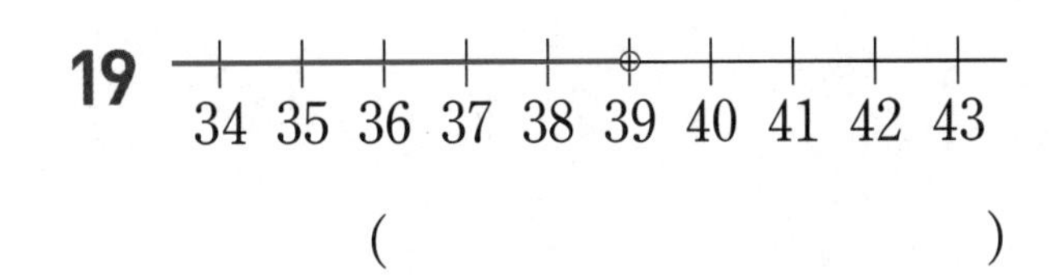

( )

20

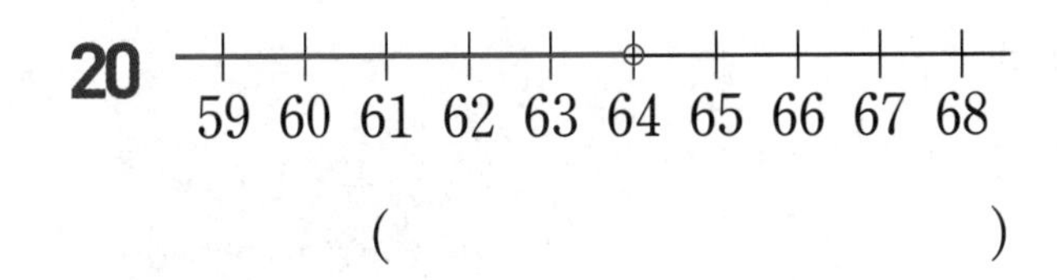

( )

21

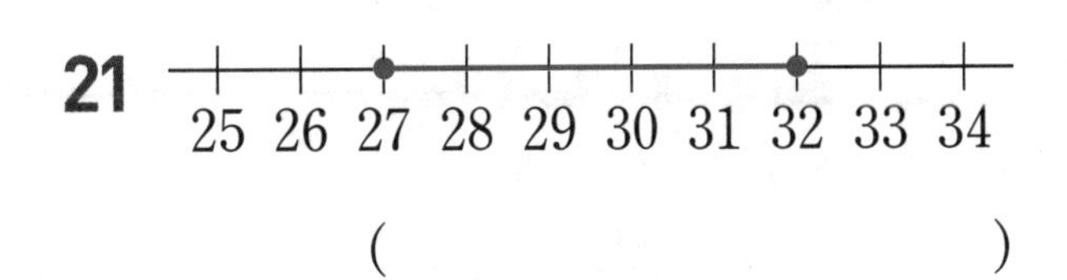

( )

22

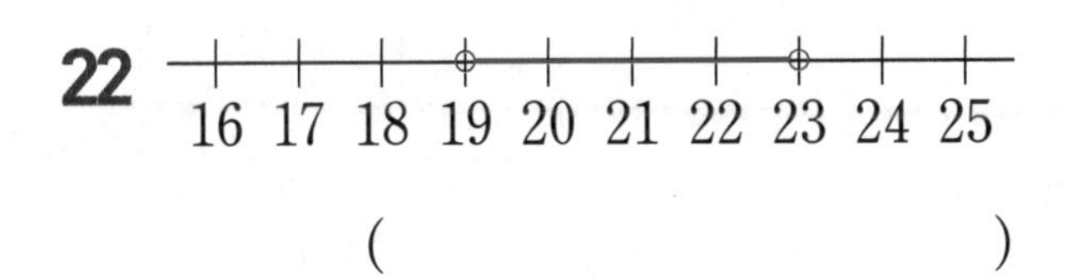

( )

23

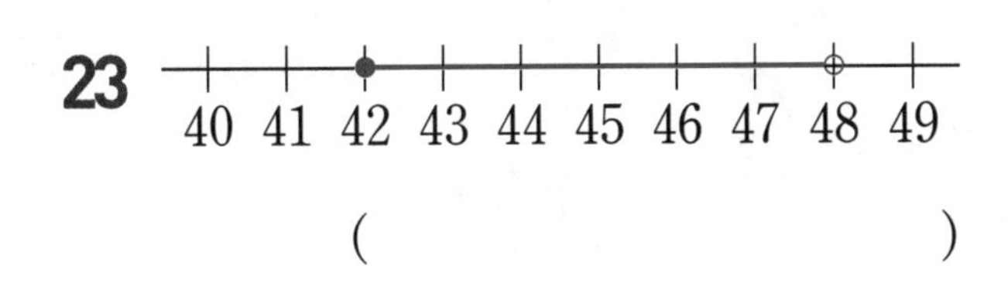

( )

24

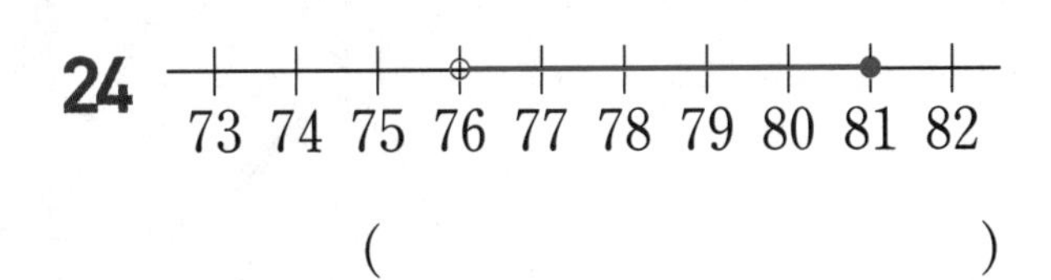

( )

2

어림하기

학습 결과와 시간을 써 보세요!

학습 내용	학습 회차	맞힌 개수/걸린 시간
1. 올림	DAY 01	/
	DAY 02	/
	DAY 03	/
	DAY 04	/
2. 버림	DAY 05	/
	DAY 06	/
	DAY 07	/
	DAY 08	/
3. 반올림	DAY 09	/
	DAY 10	/
	DAY 11	/
	DAY 12	/
마무리 연산	DAY 13	/

2단계 어림하기

1. 올림

예 438을 올림하기

- 올림하여 십의 자리까지 나타내기: 438 ➔ 440
  (십의 자리 아래 수인 8을 10으로 봐.)
- 올림하여 백의 자리까지 나타내기: 438 ➔ 500
  (백의 자리 아래 수인 38을 100으로 봐.)

구하려는 자리 아래 수를 올려서 나타내는 방법을 올림이라고 해.

올림하여 주어진 자리까지 나타낸 수에 ○표 하세요.

1 132(십의 자리까지)

➔ (120 130 140)

2 327(십의 자리까지)

➔ (310 320 330)

3 470(십의 자리까지)

➔ (460 470 480)

4 669(십의 자리까지)

➔ (670 680 690)

5 529(백의 자리까지)

➔ (600 700 800)

6 297(백의 자리까지)

➔ (200 300 400)

7 778(백의 자리까지)

➔ (700 800 900)

8 632(백의 자리까지)

➔ (500 600 700)

올림하여 주어진 자리까지 나타내세요.

9 1428(십의 자리까지)

➔ (   )

10 1381(십의 자리까지)

➔ (   )

올림하여 십의 자리까지 나타내는 것은 십의 자리의 아래 수를 올림하는 거야!

11 4009(십의 자리까지)

➔ (   )

12 6108(십의 자리까지)

➔ (   )

13 1560(백의 자리까지)

➔ (   )

14 3275(백의 자리까지)

➔ (   )

15 5929(백의 자리까지)

➔ (   )

16 7094(백의 자리까지)

➔ (   )

17 2680(천의 자리까지)

➔ (   )

18 6074(천의 자리까지)

➔ (   )

19 3021(천의 자리까지)

➔ (   )

20 8784(천의 자리까지)

➔ (   )

2단계 어림하기

1. 올림

예 2.364를 올림하기

- 올림하여 소수 첫째 자리까지 나타내기: 2.364 ➔ 2.4
  ↳ 소수 첫째 자리에 1을 올려 써!
- 올림하여 소수 둘째 자리까지 나타내기: 2.364 ➔ 2.37
  ↳ 소수 둘째 자리에 1을 올려 써!

올림하여 주어진 자리까지 나타낸 수에 ○표 하세요.

1 0.24(소수 첫째 자리까지)

➔ (0.2 (0.3) 0.4)

2 0.45(소수 첫째 자리까지)

➔ (0.3 0.4 0.5)

3 1.52(소수 첫째 자리까지)

➔ (1.6 1.7 1.8)

4 3.76(소수 첫째 자리까지)

➔ (3.7 3.8 3.9)

5 0.715(소수 둘째 자리까지)

➔ (0.71 0.72 0.73)

6 0.638(소수 둘째 자리까지)

➔ (0.63 0.64 0.65)

7 4.265(소수 둘째 자리까지)

➔ (4.25 4.26 4.27)

8 5.049(소수 둘째 자리까지)

➔ (5.04 5.05 5.06)

올림하여 주어진 자리까지 나타내세요.

9 소수 첫째 자리까지

10 소수 첫째 자리까지

11 소수 첫째 자리까지

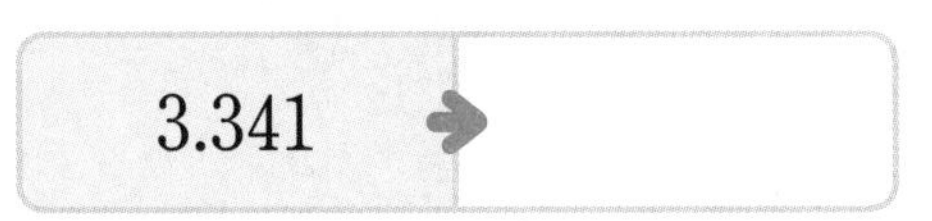

12 소수 첫째 자리까지

13 소수 첫째 자리까지

14 소수 첫째 자리까지

15 소수 둘째 자리까지

16 소수 둘째 자리까지

17 소수 둘째 자리까지

18 소수 둘째 자리까지

19 소수 둘째 자리까지

20 소수 둘째 자리까지

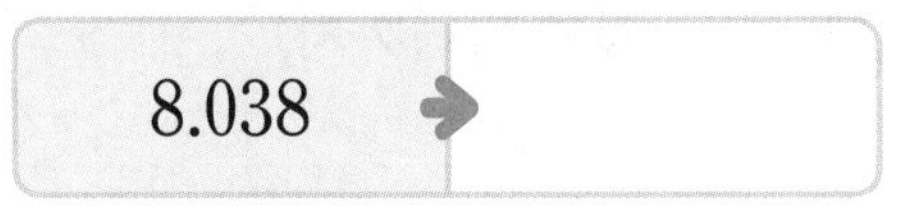

DAY 03

2단계 어림하기

1. 올림

올림하여 주어진 자리까지 나타내세요.

1 132(십의 자리까지)

➔ (   )

2 1784(백의 자리까지)

➔ (   )

3 211(백의 자리까지)

➔ (   )

4 6805(천의 자리까지)

➔ (   )

5 1894(십의 자리까지)

➔ (   )

6 0.48(소수 첫째 자리까지)

➔ (   )

7 4.379(소수 둘째 자리까지)

➔ (   )

8 3450(백의 자리까지)

➔ (   )

9 9301(십의 자리까지)

➔ (   )

10 14380(천의 자리까지)

➔ (   )

11 3.94(소수 첫째 자리까지)

➔ (   )

12 1.508(소수 둘째 자리까지)

➔ (   )

올림하여 주어진 자리까지 나타내세요.

13

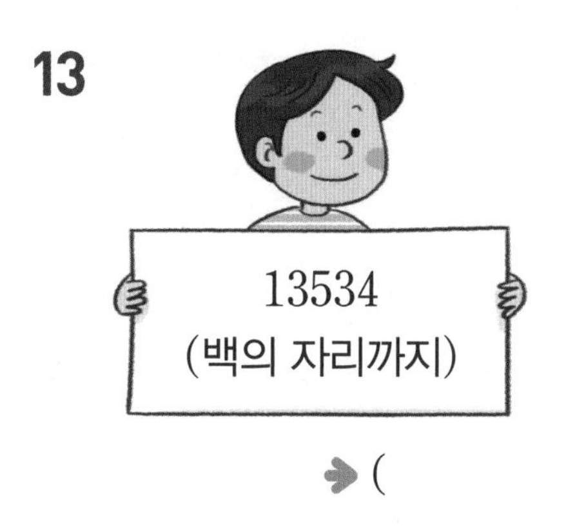

➔ (   )

14

➔ (   )

15

➔ (   )

16

➔ (   )

17

➔ (   )

18

➔ (   )

19

➔ (   )

20

➔ (   )

2단계 어림하기

1. 올림

올림하여 주어진 자리까지 나타내세요.

1 2639(십의 자리까지)

➔ (　　　　　　　　)

2 4735(백의 자리까지)

➔ (　　　　　　　　)

3 3.581(소수 둘째 자리까지)

➔ (　　　　　　　　)

4 13.64(소수 첫째 자리까지)

➔ (　　　　　　　　)

5 5219(천의 자리까지)

➔ (　　　　　　　　)

6 5162(십의 자리까지)

➔ (　　　　　　　　)

7 1.727(소수 첫째 자리까지)

➔ (　　　　　　　　)

8 3408(백의 자리까지)

➔ (　　　　　　　　)

9 7.905(소수 둘째 자리까지)

➔ (　　　　　　　　)

10 58358(만의 자리까지)

➔ (　　　　　　　　)

11 0.921(소수 첫째 자리까지)

➔ (　　　　　　　　)

12 18495(천의 자리까지)

➔ (　　　　　　　　)

올림하여 주어진 자리까지 나타내세요.

13

수	십의 자리까지	백의 자리까지
247		
4692		

14

수	백의 자리까지	천의 자리까지
3306		
18942		

15

수	소수 첫째 자리까지	소수 둘째 자리까지
5.431		
3.782		

16

수	일의 자리까지	소수 첫째 자리까지
22.49		
12.834		

생활 속 연산

윤하는 할머니 생신 선물로 14600원짜리 스카프를 사려고 합니다. 윤하가 1000원짜리 지폐로 물건을 산다면 최소 얼마를 내야 하는지 구하세요.

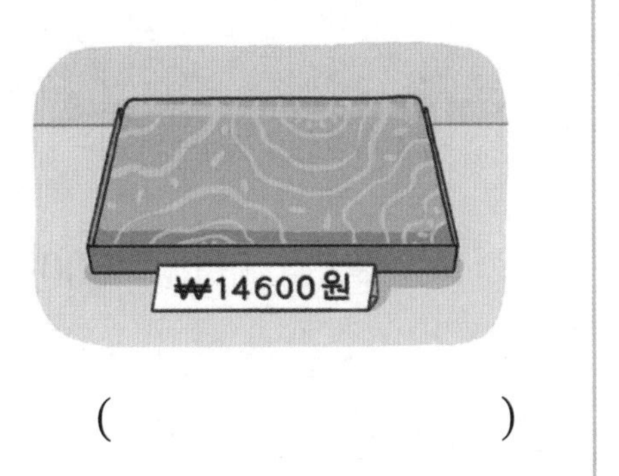

(   )

DAY 05

2단계 어림하기

2. 버림

예 279를 버림하기

- 버림하여 십의 자리까지 나타내기: 279 ➔ 270
  ↳ 십의 자리 아래 수인 9를 0으로 봐.
- 버림하여 백의 자리까지 나타내기: 279 ➔ 200
  ↳ 백의 자리 아래 수인 79를 0으로 봐.

버림하여 주어진 자리까지 나타낸 수에 ○표 하세요.

1 264(십의 자리까지)

➔ (250 260 270)

2 418(십의 자리까지)

➔ (400 410 420)

3 608(십의 자리까지)

➔ (600 610 620)

4 365(십의 자리까지)

➔ (300 350 360)

5 117(백의 자리까지)

➔ (100 200 300)

6 329(백의 자리까지)

➔ (300 400 500)

7 743(백의 자리까지)

➔ (500 600 700)

8 843(백의 자리까지)

➔ (700 800 900)

버림하여 주어진 자리까지 나타내세요.

9 2327(십의 자리까지)

➔ (   )

10 1839(십의 자리까지)

➔ (   )

구하려는 자리 아래 수가 0이면 버릴 게 없어!

11 5380(십의 자리까지)

➔ (   )

12 6224(십의 자리까지)

➔ (   )

13 1708(백의 자리까지)

➔ (   )

14 3059(백의 자리까지)

➔ (   )

15 4224(백의 자리까지)

➔ (   )

16 6571(백의 자리까지)

➔ (   )

17 1352(천의 자리까지)

➔ (   )

18 5843(천의 자리까지)

➔ (   )

19 7507(천의 자리까지)

➔ (   )

20 9204(천의 자리까지)

➔ (   )

DAY 06

2단계 어림하기

2. 버림

예 1.543을 버림하기

- 버림하여 소수 첫째 자리까지 나타내기: 1.543 ➔ 1.5
  - 소수 첫째 자리 아래 수는 모두 0이 돼!
- 버림하여 소수 둘째 자리까지 나타내기: 1.543 ➔ 1.54
  - 소수 둘째 자리 아래 수는 모두 0이 돼!

버림하여 주어진 자리까지 나타낸 수에 ○표 하세요.

1 0.24(소수 첫째 자리까지)

➔ (0.1 (0.2) 0.3)

2 0.44(소수 첫째 자리까지)

➔ (0.2 0.3 0.4)

3 3.65(소수 첫째 자리까지)

➔ (3.6 3.7 3.8)

4 4.01(소수 첫째 자리까지)

➔ (4 4.1 4.2)

5 0.223(소수 둘째 자리까지)

➔ (0.21 0.22 0.23)

6 0.995(소수 둘째 자리까지)

➔ (0.97 0.98 0.99)

7 3.508(소수 둘째 자리까지)

➔ (3.5 3.51 3.52)

8 4.653(소수 둘째 자리까지)

➔ (4.63 4.64 4.65)

버림하여 주어진 자리까지 나타내세요.

9 소수 첫째 자리까지

10 소수 첫째 자리까지

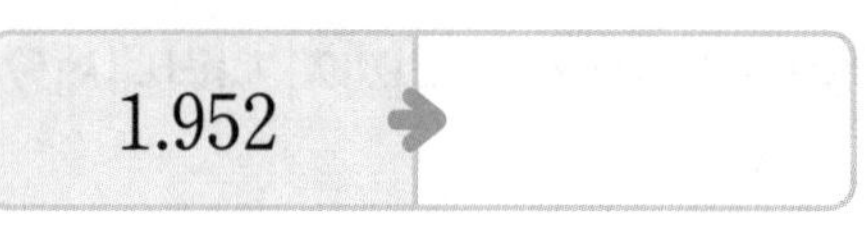

11 소수 첫째 자리까지

12 소수 첫째 자리까지

13 소수 첫째 자리까지

14 소수 첫째 자리까지

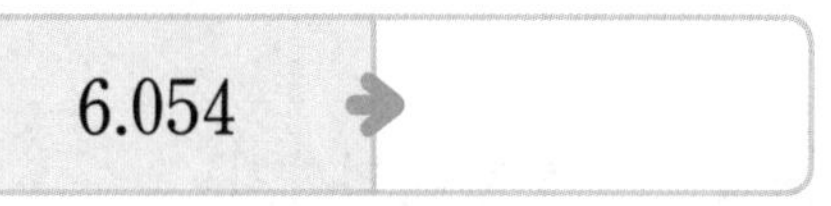

15 소수 둘째 자리까지

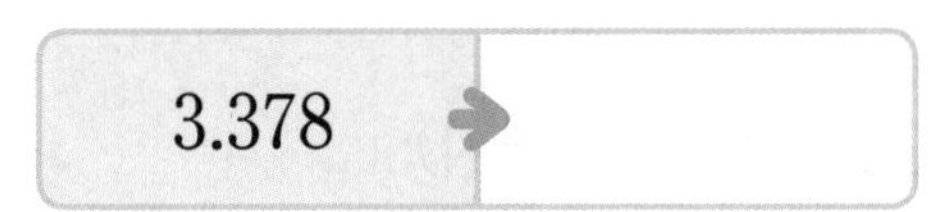

16 소수 둘째 자리까지

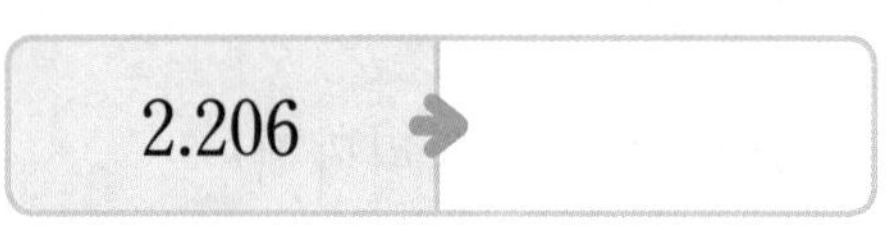

17 소수 둘째 자리까지

18 소수 둘째 자리까지

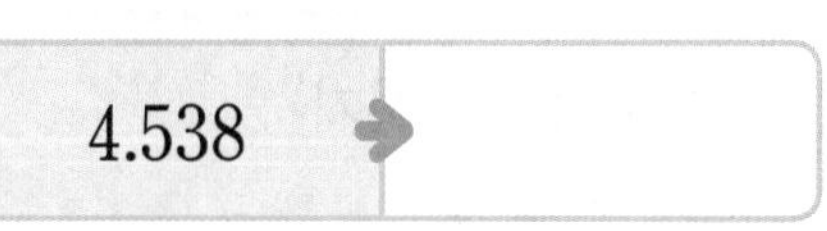

19 소수 둘째 자리까지

20 소수 둘째 자리까지

2단계 어림하기

2. 버림

버림하여 주어진 자리까지 나타내세요.

1 475(십의 자리까지)

➔ (　　　　　　)

2 1638(백의 자리까지)

➔ (　　　　　　)

3 714(백의 자리까지)

➔ (　　　　　　)

4 3581(천의 자리까지)

➔ (　　　　　　)

5 0.65(소수 첫째 자리까지)

➔ (　　　　　　)

6 1607(십의 자리까지)

➔ (　　　　　　)

7 1.537(소수 둘째 자리까지)

➔ (　　　　　　)

8 7147(백의 자리까지)

➔ (　　　　　　)

9 62479(천의 자리까지)

➔ (　　　　　　)

10 1.74(소수 첫째 자리까지)

➔ (　　　　　　)

11 12.52(일의 자리까지)

➔ (　　　　　　)

12 3.572(소수 둘째 자리까지)

➔ (　　　　　　)

버림하여 주어진 자리까지 나타내세요.

13

➔ (　　　　　　　　)

14

➔ (　　　　　　　　)

15

➔ (　　　　　　　　)

16

➔ (　　　　　　　　)

17

➔ (　　　　　　　　)

18

➔ (　　　　　　　　)

19

➔ (　　　　　　　　)

20

➔ (　　　　　　　　)

DAY 08

2단계 어림하기

2. 버림

버림하여 주어진 자리까지 나타내세요.

1 2462(십의 자리까지)

➔ (   )

2 1807(백의 자리까지)

➔ (   )

3 0.47(소수 첫째 자리까지)

➔ (   )

4 7052(천의 자리까지)

➔ (   )

5 4.205(소수 둘째 자리까지)

➔ (   )

6 0.837(소수 둘째 자리까지)

➔ (   )

7 5084(십의 자리까지)

➔ (   )

8 50326 (천의 자리까지)

➔ (   )

9 3609(백의 자리까지)

➔ (   )

10 2.694(소수 첫째 자리까지)

➔ (   )

11 13.52(일의 자리까지)

➔ (   )

12 42790(만의 자리까지)

➔ (   )

버림하여 주어진 자리까지 나타내세요.

13

수	십의 자리까지	백의 자리까지
427		
1908		

14

수	백의 자리까지	천의 자리까지
4729		
16093		

15

수	소수 첫째 자리까지	소수 둘째 자리까지
0.635		
3.068		

16

수	일의 자리까지	소수 첫째 자리까지
18.43		
30.546		

생활 속 연산

시후는 돼지 저금통에 동전을 47830원 모았습니다. 이 돈을 1000원짜리 지폐로만 바꾼다면 최대 얼마까지 바꿀 수 있는지 구하세요.

(　　　　　　　　)

◎2단계 어림하기

3. 반올림

예 583을 반올림하기

- 반올림하여 십의 자리까지 나타내기: 583 ➔ 580
  일의 자리 숫자가 3이므로 버려.
- 반올림하여 백의 자리까지 나타내기: 583 ➔ 600
  십의 자리 숫자가 8이므로 올려.

구하려는 자리 바로 아래 자리의 숫자가 0, 1, 2, 3, 4이면 버리고, 5, 6, 7, 8, 9이면 올려서 나타내는 방법을 반올림이라고 해.

반올림하여 주어진 자리까지 나타낸 수에 ○표 하세요.

1 154(십의 자리까지)

➔ ((150) 160 170)

2 526(십의 자리까지)

➔ (520 530 540)

3 307(십의 자리까지)

➔ (300 310 320)

4 475(십의 자리까지)

➔ (460 470 480)

5 235(백의 자리까지)

➔ (200 300 400)

6 572(백의 자리까지)

➔ (400 500 600)

7 609(백의 자리까지)

➔ (500 600 700)

8 762(백의 자리까지)

➔ (700 800 900)

반올림하여 주어진 자리까지 나타내세요.

9 1216(십의 자리까지)

➔ (　　　　　　　　)

10 1453(십의 자리까지)

➔ (　　　　　　　　)

반올림하여 십의 자리까지 나타내려면 일의 자리 숫자를 확인해야 해!

11 3707(십의 자리까지)

➔ (　　　　　　　　)

12 6024(십의 자리까지)

➔ (　　　　　　　　)

13 4386(백의 자리까지)

➔ (　　　　　　　　)

14 5137(백의 자리까지)

➔ (　　　　　　　　)

15 7472(백의 자리까지)

➔ (　　　　　　　　)

16 6321(백의 자리까지)

➔ (　　　　　　　　)

17 4692(천의 자리까지)

➔ (　　　　　　　　)

18 3708(천의 자리까지)

➔ (　　　　　　　　)

19 6289(천의 자리까지)

➔ (　　　　　　　　)

20 5632(천의 자리까지)

➔ (　　　　　　　　)

2단계 어림하기

3. 반올림

예 1.628을 반올림하기

- 반올림하여 소수 첫째 자리까지 나타내기: 1.628 ➔ 1.6
  ↳ 소수 둘째 자리 숫자가 2이므로 버려.
- 반올림하여 소수 둘째 자리까지 나타내기: 1.628 ➔ 1.63
  ↳ 소수 셋째 자리 숫자가 8이므로 올려.

반올림하여 주어진 자리까지 나타낸 수에 ○표 하세요.

1 0.38(소수 첫째 자리까지)

➔ (0.2 0.3 (0.4))

2 0.53(소수 첫째 자리까지)

➔ (0.5 0.6 0.7)

3 4.74(소수 첫째 자리까지)

➔ (4.6 4.7 4.8)

4 7.03(소수 첫째 자리까지)

➔ (7 7.1 7.2)

5 0.461(소수 둘째 자리까지)

➔ (0.45 0.46 0.47)

6 0.537(소수 둘째 자리까지)

➔ (0.52 0.53 0.54)

7 2.824(소수 둘째 자리까지)

➔ (2.82 2.83 2.84)

8 5.395(소수 둘째 자리까지)

➔ (5.3 5.4 5.5)

반올림하여 주어진 자리까지 나타내세요.

9 소수 첫째 자리까지

10 소수 첫째 자리까지

11 소수 첫째 자리까지

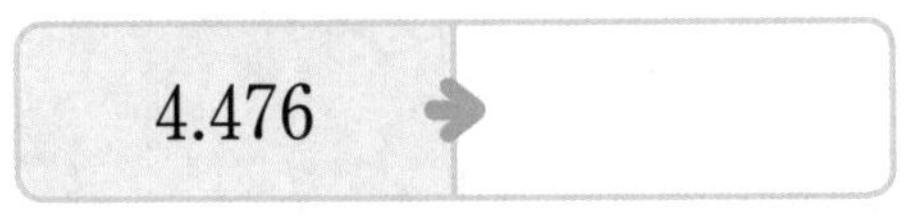

12 소수 첫째 자리까지

13 소수 첫째 자리까지

14 소수 첫째 자리까지

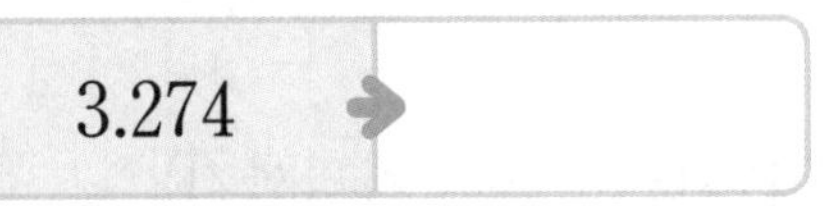

15 소수 둘째 자리까지

16 소수 둘째 자리까지

17 소수 둘째 자리까지

18 소수 둘째 자리까지

19 소수 둘째 자리까지

20 소수 둘째 자리까지

DAY 11

2단계 어림하기

3. 반올림

반올림하여 주어진 자리까지 나타내세요.

1 145(십의 자리까지)

➔ (　　　　　　　　)

2 3482(천의 자리까지)

➔ (　　　　　　　　)

3 2371(백의 자리까지)

➔ (　　　　　　　　)

4 2.56(일의 자리까지)

➔ (　　　　　　　　)

5 0.427(소수 첫째 자리까지)

➔ (　　　　　　　　)

6 14732(천의 자리까지)

➔ (　　　　　　　　)

7 1.358(소수 둘째 자리까지)

➔ (　　　　　　　　)

8 395(십의 자리까지)

➔ (　　　　　　　　)

9 3606(백의 자리까지)

➔ (　　　　　　　　)

10 5.756(소수 첫째 자리까지)

➔ (　　　　　　　　)

11 11.49(일의 자리까지)

➔ (　　　　　　　　)

12 4.693(소수 둘째 자리까지)

➔ (　　　　　　　　)

주어진 자리까지 반올림한 수를 찾아 이어 보세요.

13

2373 (십의 자리까지)	2370
2351 (십의 자리까지)	2400
2365 (백의 자리까지)	2350

14

4.427 (소수 첫째 자리까지)	4.6
4.597 (소수 둘째 자리까지)	4.4
4.462 (소수 첫째 자리까지)	4.5

15

57357 (백의 자리까지)	57000
57980 (백의 자리까지)	57400
57321 (천의 자리까지)	58000

2단계 어림하기

3. 반올림

반올림하여 주어진 자리까지 나타내세요.

1 1214(백의 자리까지)

➔ (　　　　　　)

2 2612(천의 자리까지)

➔ (　　　　　　)

3 5354(십의 자리까지)

➔ (　　　　　　)

4 4.753(소수 첫째 자리까지)

➔ (　　　　　　)

5 1.462(소수 둘째 자리까지)

➔ (　　　　　　)

6 15.83(일의 자리까지)

➔ (　　　　　　)

7 4537(십의 자리까지)

➔ (　　　　　　)

8 8290(백의 자리까지)

➔ (　　　　　　)

9 15801(천의 자리까지)

➔ (　　　　　　)

10 3.726(소수 둘째 자리까지)

➔ (　　　　　　)

11 22.39(소수 첫째 자리까지)

➔ (　　　　　　)

12 21754(만의 자리까지)

➔ (　　　　　　)

반올림하여 주어진 자리까지 나타내세요.

13

수	십의 자리까지	백의 자리까지
385		
2517		

14

수	백의 자리까지	천의 자리까지
2643		
45730		

15

수	소수 첫째 자리까지	소수 둘째 자리까지
0.428		
1.672		

16

수	일의 자리까지	소수 첫째 자리까지
15.27		
12.539		

생활 속 연산

성현이의 키를 재어 보니 146.7 cm였습니다. 성현이의 키는 몇 cm인지 반올림하여 일의 자리까지 나타내세요.

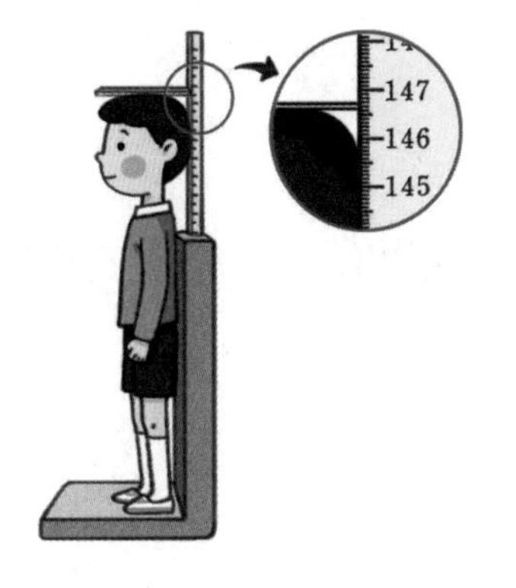

(　　　　　　　　)

DAY 13

2단계 어림하기

마무리 연산

올림하여 주어진 자리까지 나타내세요.

1 174(십의 자리까지)

➔ (　　　　　　)

2 1836(백의 자리까지)

➔ (　　　　　　)

3 4287(천의 자리까지)

➔ (　　　　　　)

4 5.28(소수 첫째 자리까지)

➔ (　　　　　　)

5 2.532(소수 둘째 자리까지)

➔ (　　　　　　)

6 4.523(일의 자리까지)

➔ (　　　　　　)

버림하여 주어진 자리까지 나타내세요.

7 1537(십의 자리까지)

➔ (　　　　　　)

8 6806(백의 자리까지)

➔ (　　　　　　)

9 14820(천의 자리까지)

➔ (　　　　　　)

10 0.78(소수 첫째 자리까지)

➔ (　　　　　　)

11 5.286(소수 둘째 자리까지)

➔ (　　　　　　)

12 3.178(일의 자리까지)

➔ (　　　　　　)

반올림하여 주어진 자리까지 나타내세요.

13 478(십의 자리까지)

➔ ( )

14 3108(십의 자리까지)

➔ ( )

15 6293(백의 자리까지)

➔ ( )

16 14802(백의 자리까지)

➔ ( )

17 5631(천의 자리까지)

➔ ( )

18 16495(천의 자리까지)

➔ ( )

19 0.29(소수 첫째 자리까지)

➔ ( )

20 3.97(소수 첫째 자리까지)

➔ ( )

21 0.258(소수 둘째 자리까지)

➔ ( )

22 6.374(소수 둘째 자리까지)

➔ ( )

23 2.508(일의 자리까지)

➔ ( )

24 8.153(일의 자리까지)

➔ ( )

3

분수의 곱셈

학습 결과와 시간을 써 보세요!

학습 내용	학습 회차	맞힌 개수/걸린 시간
1. (진분수)×(자연수)	DAY 01	/
	DAY 02	/
	DAY 03	/
	DAY 04	/
2. (대분수)×(자연수)	DAY 05	/
	DAY 06	/
	DAY 07	/
	DAY 08	/
3. (자연수)×(진분수)	DAY 09	/
	DAY 10	/
	DAY 11	/
	DAY 12	/
4. (자연수)×(대분수)	DAY 13	/
	DAY 14	/
	DAY 15	/
	DAY 16	/
5. (진분수)×(진분수)	DAY 17	/
	DAY 18	/
	DAY 19	/
	DAY 20	/
	DAY 21	/
6. (대분수)×(대분수)	DAY 22	/
	DAY 23	/
	DAY 24	/
	DAY 25	/
7. 세 분수의 곱셈	DAY 26	/
	DAY 27	/
	DAY 28	/
	DAY 29	/
마무리 연산	DAY 30	/
	DAY 31	/

1. (진분수)×(자연수)

예 $\frac{5}{16}\times6$의 계산

방법1 $\frac{5}{16}\times6=\frac{5\times6}{16}=\frac{\overset{15}{\cancel{30}}}{\underset{8}{\cancel{16}}}=\frac{15}{8}=1\frac{7}{8}$

분자에 자연수를 곱한 다음 약분할 수 있어.

방법2 $\frac{5}{\underset{8}{\cancel{16}}}\times\overset{3}{\cancel{6}}=\frac{5\times3}{8}=\frac{15}{8}=1\frac{7}{8}$

약분이 되면 먼저 약분해.

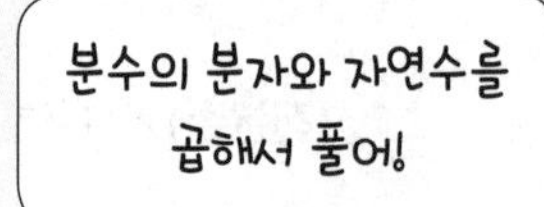

두 가지 방법으로 계산하세요.

1 $\frac{3}{14}\times6$

방법1 $\frac{3}{14}\times6=\frac{3\times\square}{14}=\frac{\overset{9}{\cancel{18}}}{\underset{7}{\cancel{14}}}=\frac{\square}{7}=\square\frac{\square}{7}$

방법2 $\frac{3}{\underset{7}{\cancel{14}}}\times\overset{\square}{\cancel{6}}=\frac{3\times\square}{7}=\frac{\square}{7}=\square\frac{\square}{7}$

2 $\frac{5}{12}\times10$

방법1 $\frac{5}{12}\times10=\frac{5\times\square}{12}=\frac{\overset{\square}{\cancel{50}}}{\underset{6}{\cancel{12}}}=\frac{\square}{6}=\square\frac{\square}{6}$

방법2 $\frac{5}{\underset{6}{\cancel{12}}}\times\overset{\square}{\cancel{10}}=\frac{5\times\square}{6}=\frac{\square}{6}=\square\frac{\square}{6}$

계산을 하여 기약분수로 나타내세요.

3 $\frac{3}{5}\times2=\frac{3\times\boxed{2}}{5}=\frac{\boxed{6}}{5}=\boxed{1}\frac{\boxed{1}}{5}$

가분수는 대분수로 나타내.

4 $\frac{5}{6}\times4=\frac{5\times\square}{6}=\frac{\cancel{20}^{\square}}{\cancel{6}_{3}}=\frac{\square}{3}=\square\frac{\square}{3}$

5 $\frac{7}{8}\times6=\frac{7\times\square}{8}=\frac{\cancel{42}^{\square}}{\cancel{8}_{4}}=\frac{\square}{4}=\square\frac{\square}{4}$

6 $\frac{8}{\cancel{9}_{3}}\times\cancel{6}^{\square}=\frac{8\times\square}{3}=\frac{\square}{3}=\square\frac{\square}{3}$

7 $\frac{5}{\cancel{18}_{3}}\times\cancel{12}^{\square}=\frac{5\times\square}{3}=\frac{\square}{3}=\square\frac{\square}{3}$

8 $\frac{9}{\cancel{20}_{4}}\times\cancel{15}^{\square}=\frac{9\times\square}{4}=\frac{\square}{4}=\square\frac{\square}{4}$

DAY 02

3단계 분수의 곱셈

1. (진분수)×(자연수)

계산을 하여 기약분수로 나타내세요.

1 $\frac{2}{3}\times6$

2 $\frac{7}{10}\times3$

3 $\frac{4}{9}\times3$

4 $\frac{5}{12}\times15$

5 $\frac{5}{6}\times4$

6 $\frac{7}{12}\times9$

7 $\frac{8}{15}\times6$

8 $\frac{9}{14}\times10$

9 $\frac{11}{20}\times16$

10 $\frac{7}{18}\times12$

11 $\frac{8}{21}\times28$

12 $\frac{5}{24}\times10$

13 $\frac{14}{25}\times15$

14 $\frac{13}{30}\times18$

계산을 하여 기약분수로 나타내세요.

15

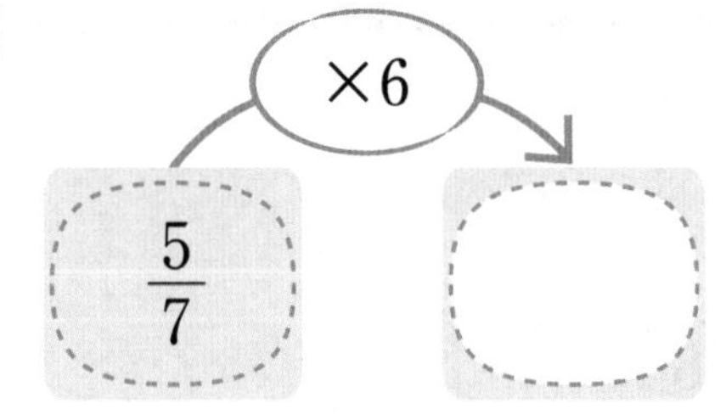

16

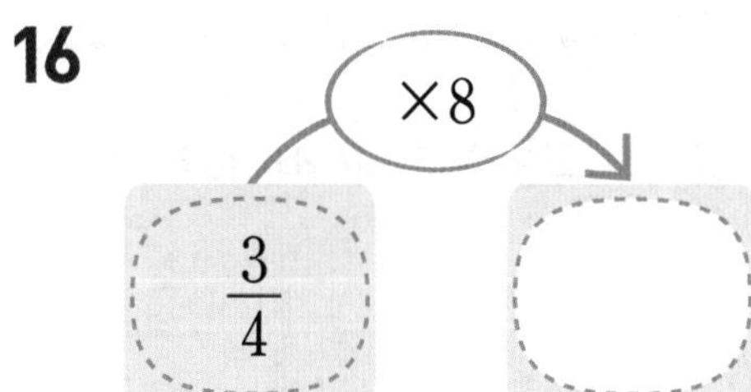

17

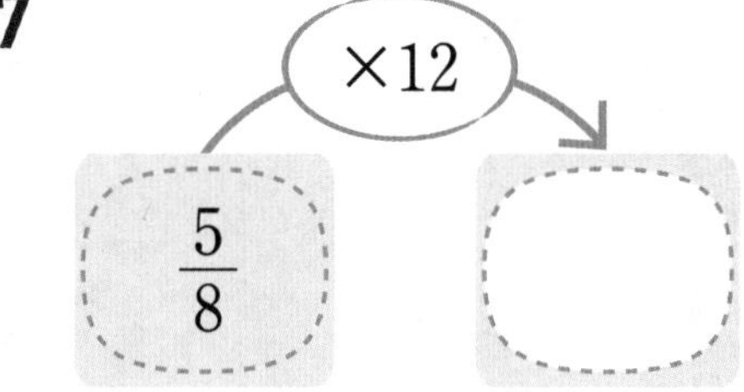

18

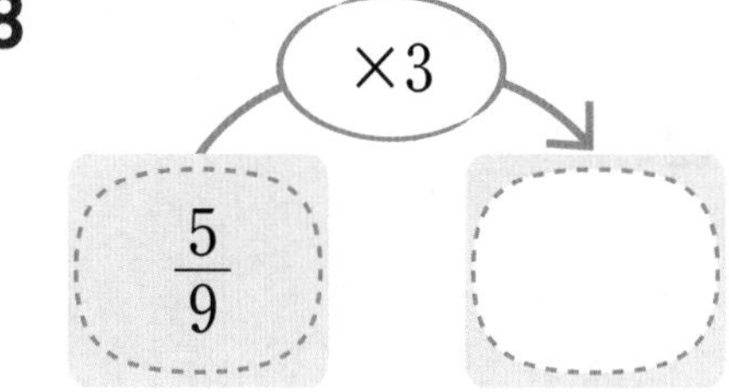

19

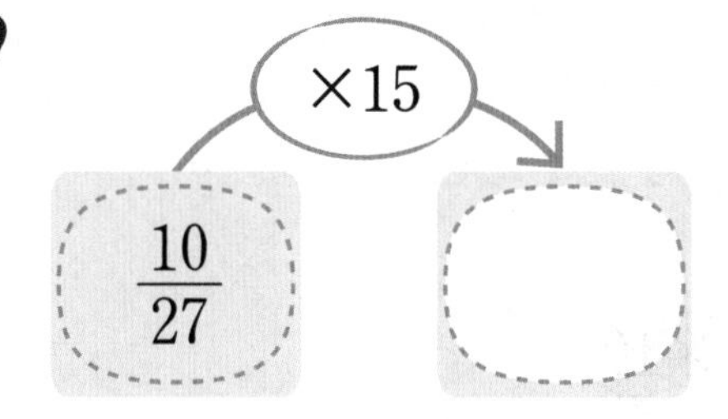

20

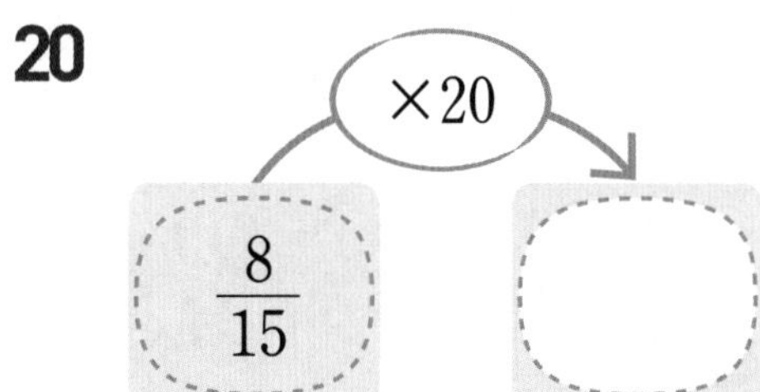

21

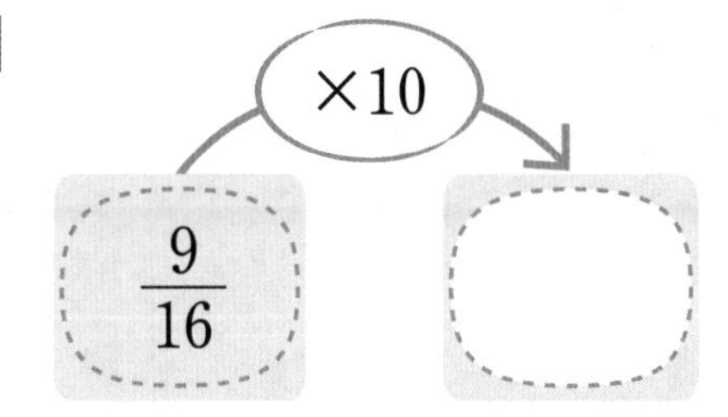

22

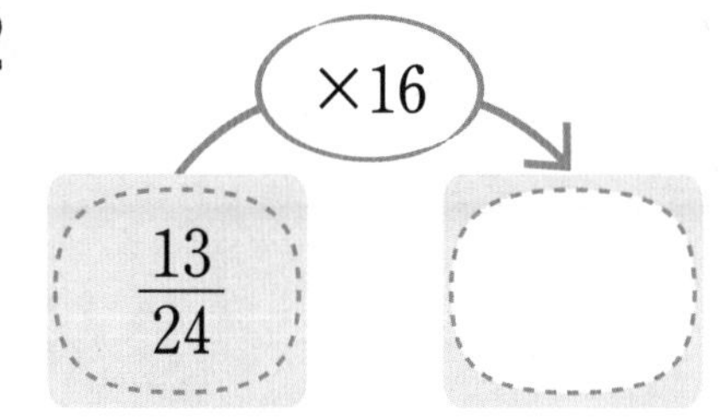

23

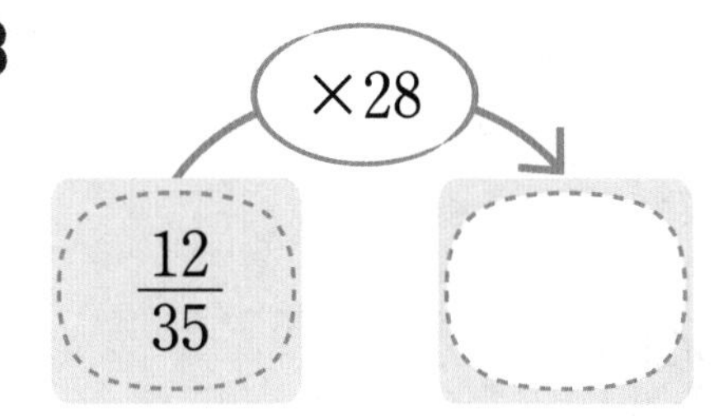

24

×24

$\frac{17}{42}$

DAY 03

3단계 분수의 곱셈

1. (진분수)×(자연수)

계산을 하여 기약분수로 나타내세요.

1 $\frac{3}{8}\times6$

2 $\frac{5}{6}\times8$

3 $\frac{5}{9}\times12$

4 $\frac{7}{10}\times4$

5 $\frac{5}{12}\times14$

6 $\frac{9}{16}\times8$

7 $\frac{11}{18}\times12$

8 $\frac{12}{25}\times10$

9 $\frac{5}{24}\times16$

10 $\frac{16}{27}\times9$

11 $\frac{9}{32}\times12$

12 $\frac{18}{35}\times25$

13 $\frac{9}{40}\times16$

14 $\frac{11}{42}\times14$

계산을 하여 기약분수로 나타내세요.

15

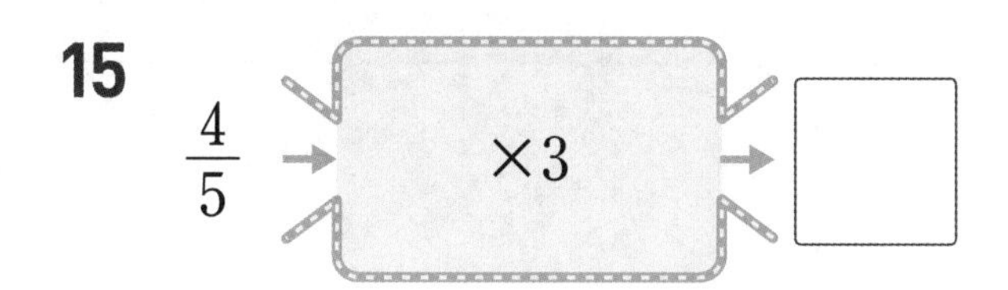

$\frac{4}{5} \rightarrow \times 3 \rightarrow$ ☐

16 $\frac{5}{8} \rightarrow \times 5 \rightarrow$ ☐

17 $\frac{7}{9} \rightarrow \times 6 \rightarrow$ ☐

18 $\frac{6}{7} \rightarrow \times 14 \rightarrow$ ☐

19 $\frac{9}{10} \rightarrow \times 8 \rightarrow$ ☐

20 $\frac{8}{15} \rightarrow \times 9 \rightarrow$ ☐

21 $\frac{16}{21} \rightarrow \times 14 \rightarrow$ ☐

22 $\frac{11}{24} \rightarrow \times 20 \rightarrow$ ☐

23 $\frac{9}{28} \rightarrow \times 21 \rightarrow$ ☐

24 $\frac{7}{30} \rightarrow \times 18 \rightarrow$ ☐

25 $\frac{25}{36} \rightarrow \times 12 \rightarrow$ ☐

26 $\frac{16}{45} \rightarrow \times 18 \rightarrow$ ☐

DAY 04

3단계 분수의 곱셈

1. (진분수)×(자연수)

계산을 하여 기약분수로 나타내세요.

1 $\frac{2}{3}\times2$

2 $\frac{2}{5}\times10$

3 $\frac{7}{8}\times5$

4 $\frac{9}{10}\times6$

5 $\frac{13}{15}\times9$

6 $\frac{19}{22}\times8$

7 $\frac{16}{25}\times5$

8 $\frac{15}{28}\times8$

9 $\frac{11}{18}\times16$

10 $\frac{13}{30}\times12$

11 $\frac{13}{36}\times18$

12 $\frac{17}{39}\times13$

13 $\frac{23}{40}\times16$

14 $\frac{16}{45}\times25$

계산을 하여 기약분수로 나타내세요.

15 ×

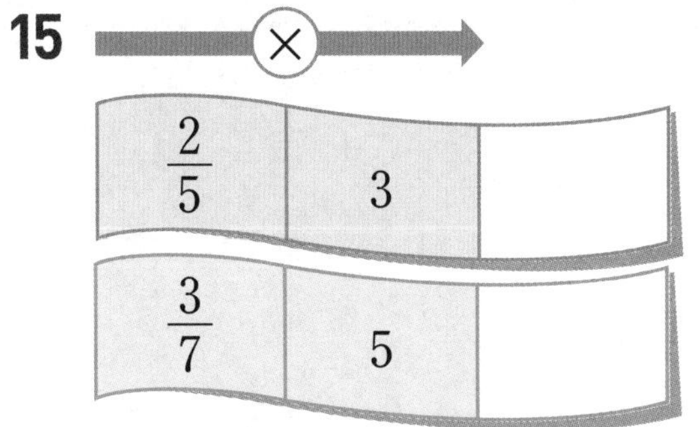

$\frac{2}{5}$	3	
$\frac{3}{7}$	5	

16 ×

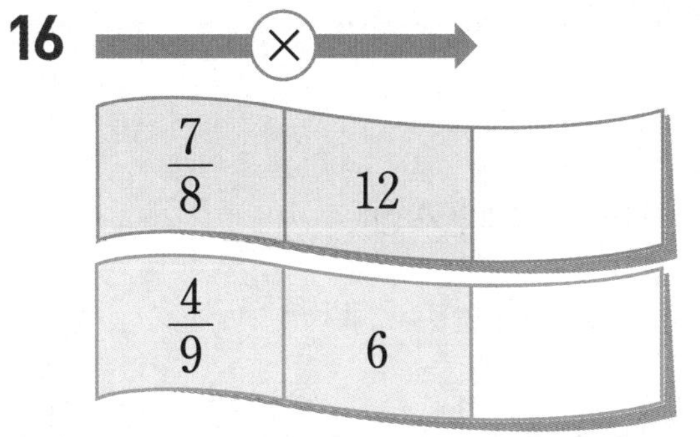

$\frac{7}{8}$	12	
$\frac{4}{9}$	6	

17 ×

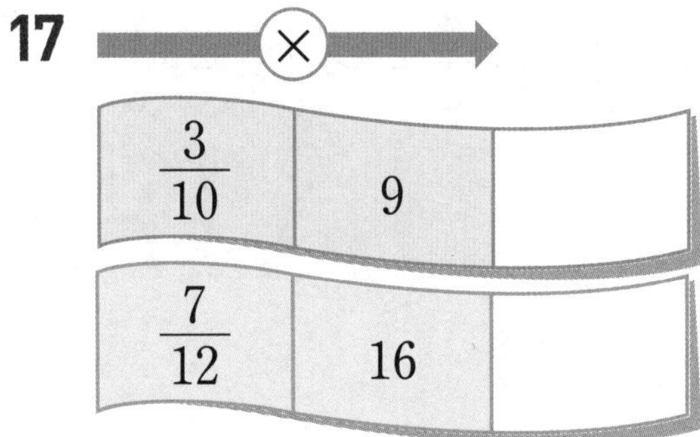

$\frac{3}{10}$	9	
$\frac{7}{12}$	16	

18 ×

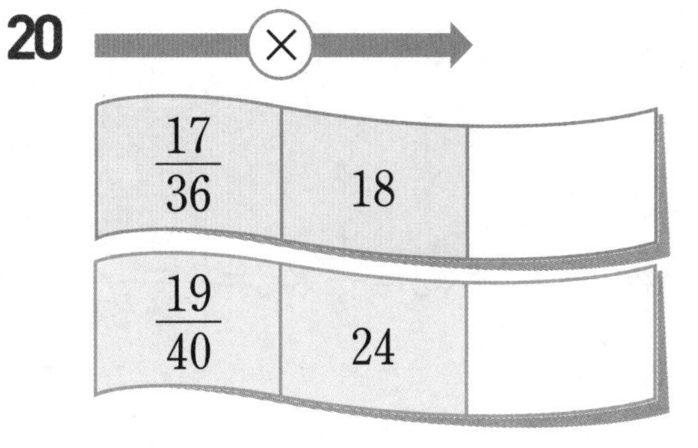

$\frac{8}{15}$	9	
$\frac{10}{21}$	14	

19 ×

$\frac{11}{26}$	4	
$\frac{15}{32}$	12	

20 ×

$\frac{17}{36}$	18	
$\frac{19}{40}$	24	

생활 속 연산

아린이와 친구들이 피자를 먹으려고 합니다. 대화를 읽고 주문해야 하는 피자는 모두 몇 판인지 구하세요.

한 사람이 $\frac{3}{8}$조각씩 먹으면 좋을 것 같아.

모두 16명이니까 몇 판을 주문해야 할까?

( )

2. (대분수)×(자연수)

예 $1\frac{1}{6}\times 8$의 계산

대분수를 가분수로 고쳐서 계산해.

방법 1 $1\frac{1}{6}\times 8=\frac{7}{\cancel{6}_{3}}\times \cancel{8}^{4}=\frac{7\times 4}{3}=\frac{28}{3}=9\frac{1}{3}$

방법 2 $1\frac{1}{6}\times 8=\left(1+\frac{1}{6}\right)\times 8=(1\times 8)+\left(\frac{1}{\cancel{6}_{3}}\times \cancel{8}^{4}\right)=8+\frac{4}{3}=8+1\frac{1}{3}=9\frac{1}{3}$

대분수를 자연수와 진분수의 합으로 보고 계산해.

두 가지 방법으로 계산하세요.

1 $1\frac{1}{3}\times 2$

방법 1 $1\frac{1}{3}\times 2=\frac{4}{3}\times 2=\frac{\square\times 2}{3}=\frac{\square}{3}=\square\frac{\square}{3}$

방법 2 $1\frac{1}{3}\times 2=(1\times 2)+\left(\frac{1}{3}\times 2\right)=\square+\frac{\square}{3}=\square\frac{\square}{3}$

2 $2\frac{2}{5}\times 3$

방법 1 $2\frac{2}{5}\times 3=\frac{\square}{5}\times 3=\frac{\square\times 3}{5}=\frac{\square}{5}=\square\frac{\square}{5}$

방법 2 $2\frac{2}{5}\times 3=(2\times 3)+\left(\frac{2}{5}\times 3\right)=\square+\frac{\square}{5}=\square+1\frac{1}{5}=\square\frac{\square}{5}$

계산을 하여 기약분수로 나타내세요.

3 $1\frac{3}{8}\times 6=\frac{\boxed{11}}{\underset{4}{\cancel{8}}}\times\overset{\boxed{3}}{\cancel{6}}=\frac{\boxed{11}\times\boxed{3}}{4}=\frac{\boxed{33}}{4}=\boxed{8}\frac{\boxed{1}}{4}$

4 $1\frac{1}{6}\times 4=\frac{\square}{\underset{3}{\cancel{6}}}\times\overset{\square}{\cancel{4}}=\frac{\square\times\square}{3}=\frac{\square}{3}=\square\frac{\square}{3}$

5 $2\frac{2}{9}\times 6=\frac{\square}{\underset{3}{\cancel{9}}}\times\overset{\square}{\cancel{6}}=\frac{\square\times\square}{3}=\frac{\square}{3}=\square\frac{\square}{3}$

6 $2\frac{3}{7}\times 3=(2\times 3)+\left(\frac{3}{7}\times 3\right)=\square+\frac{\square}{7}=\square+1\frac{2}{7}=\square\frac{\square}{7}$

7 $1\frac{3}{10}\times 5=(\square\times 5)+\left(\frac{\square}{\underset{2}{\cancel{10}}}\times\overset{1}{\cancel{5}}\right)=\square+\frac{\square}{2}=\square+\square\frac{\square}{2}=\square\frac{\square}{2}$

8 $2\frac{9}{20}\times 4=(\square\times 4)+\left(\frac{\square}{\underset{5}{\cancel{20}}}\times\overset{\square}{\cancel{4}}\right)=\square+\frac{\square}{5}=\square+\square\frac{\square}{5}=\square\frac{\square}{5}$

DAY 06

3단계 분수의 곱셈

2. (대분수)×(자연수)

계산을 하여 기약분수로 나타내세요.

1 $1\frac{1}{4}\times3$

2 $1\frac{1}{3}\times2$

3 $2\frac{3}{4}\times6$

4 $1\frac{5}{6}\times8$

5 $3\frac{1}{6}\times3$

6 $2\frac{3}{7}\times14$

7 $1\frac{5}{9}\times6$

8 $1\frac{3}{10}\times3$

9 $3\frac{2}{9}\times6$

10 $1\frac{3}{14}\times4$

11 $1\frac{4}{15}\times9$

12 $2\frac{1}{20}\times10$

13 $2\frac{7}{20}\times8$

14 $3\frac{5}{12}\times6$

두 수의 곱을 기약분수로 나타내세요.

15

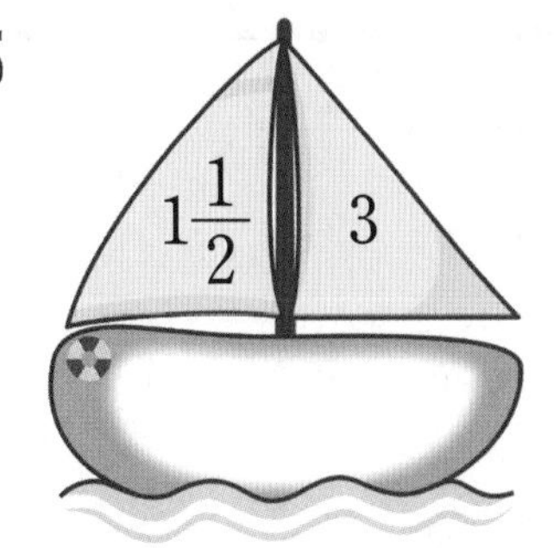

16

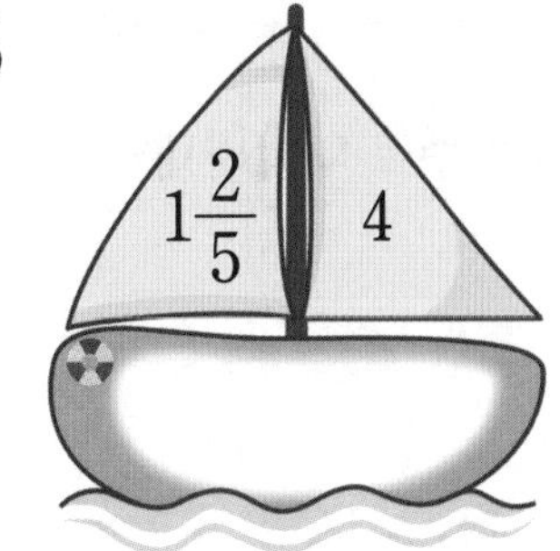

17

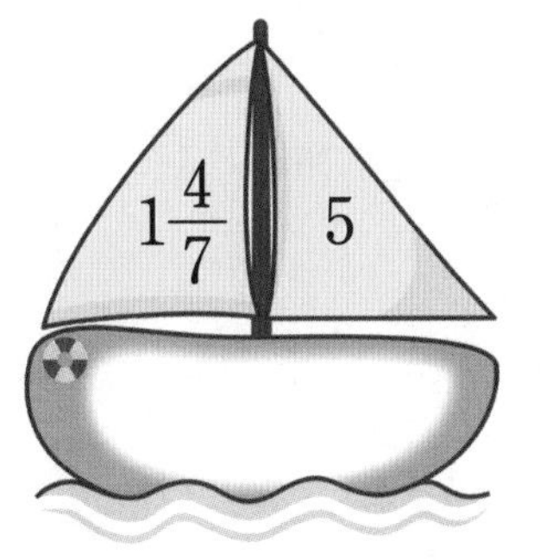

18

19

20

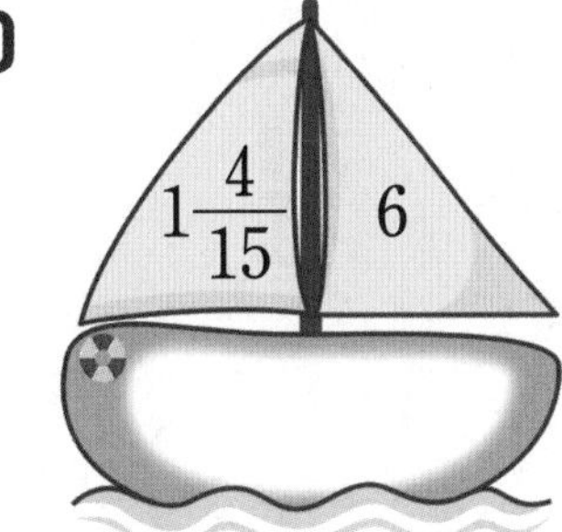

21

22

23

24

DAY 07

3단계 분수의 곱셈

2. (대분수)×(자연수)

계산을 하여 기약분수로 나타내세요.

1 $1\frac{1}{3}\times6$

2 $2\frac{3}{4}\times2$

3 $3\frac{1}{5}\times3$

4 $1\frac{3}{4}\times6$

5 $1\frac{1}{6}\times8$

6 $2\frac{5}{6}\times4$

7 $1\frac{3}{10}\times15$

8 $1\frac{2}{7}\times14$

9 $1\frac{7}{10}\times4$

10 $2\frac{5}{12}\times6$

11 $1\frac{3}{16}\times12$

12 $2\frac{5}{18}\times9$

13 $1\frac{20}{21}\times6$

14 $2\frac{11}{24}\times10$

계산을 하여 기약분수로 나타내세요.

15

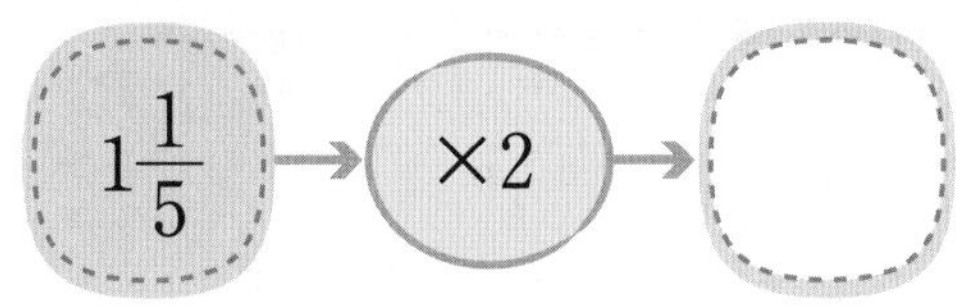

16

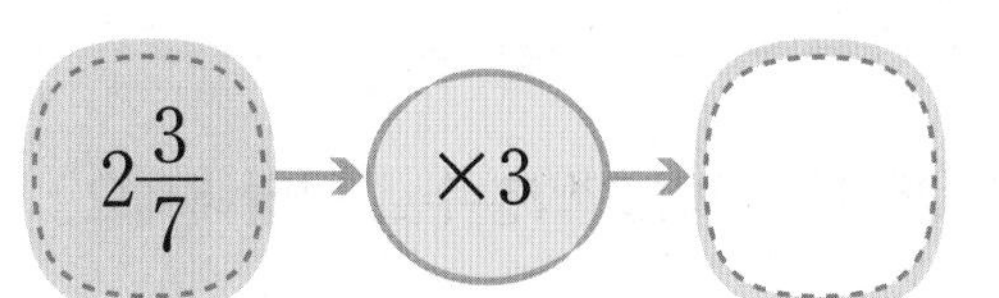

17

$1\frac{6}{7}$ → $\times 14$ →

18

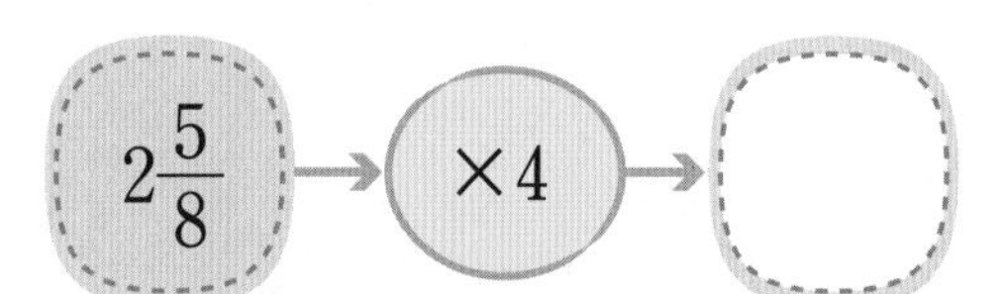

19

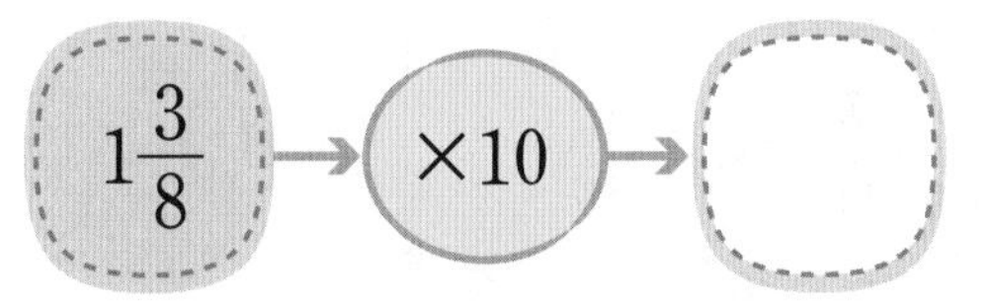

20

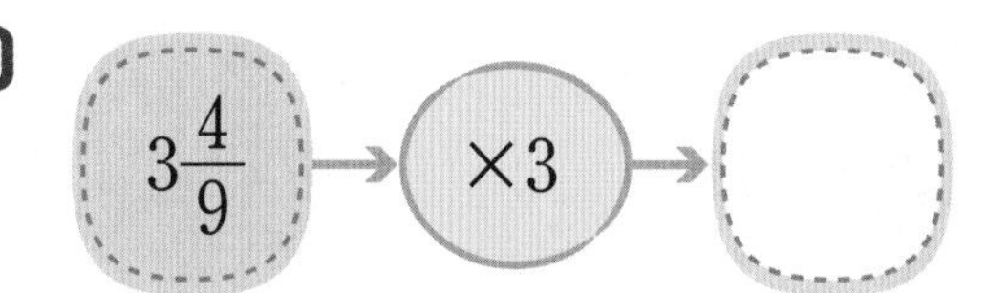

21

$2\frac{7}{10}$ → $\times 6$ →

22

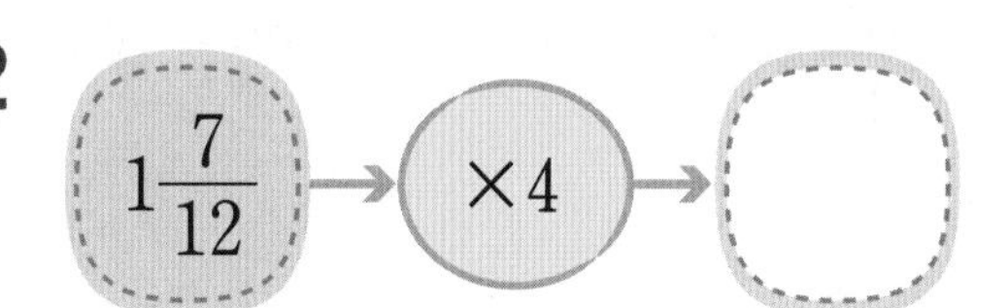

23

$4\frac{5}{14}$ → $\times 2$ →

24

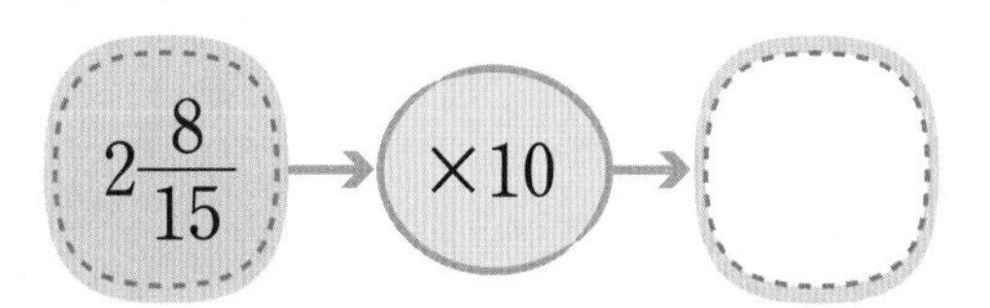

25

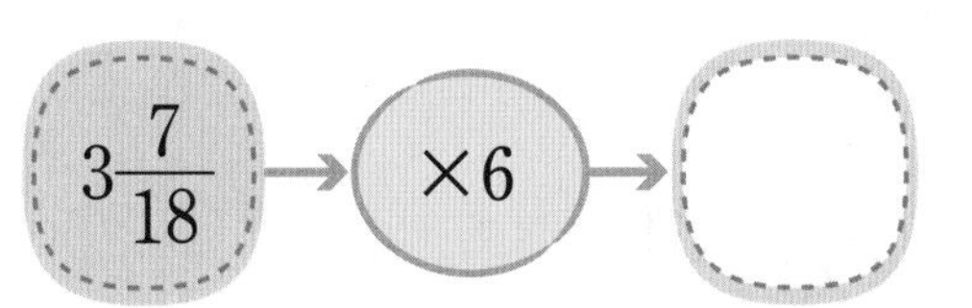

26

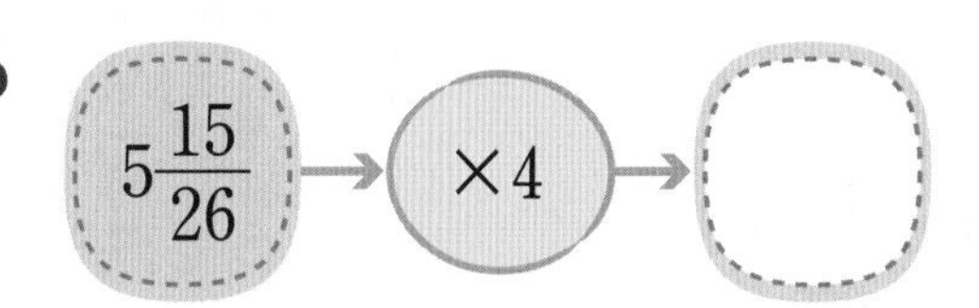

3단계 분수의 곱셈

2. (대분수)×(자연수)

계산을 하여 기약분수로 나타내세요.

1 $3\frac{2}{5}\times2$

2 $2\frac{5}{6}\times3$

3 $2\frac{4}{7}\times5$

4 $2\frac{7}{8}\times6$

5 $2\frac{3}{8}\times4$

6 $3\frac{7}{9}\times6$

7 $3\frac{3}{10}\times4$

8 $2\frac{5}{12}\times8$

9 $2\frac{11}{14}\times6$

10 $2\frac{8}{15}\times9$

11 $2\frac{17}{18}\times4$

12 $3\frac{19}{20}\times4$

13 $4\frac{11}{24}\times8$

14 $2\frac{7}{30}\times10$

계산을 하여 기약분수로 나타내세요.

15

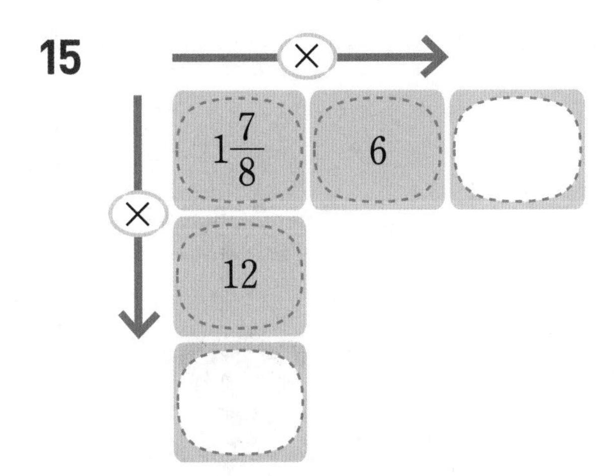

16

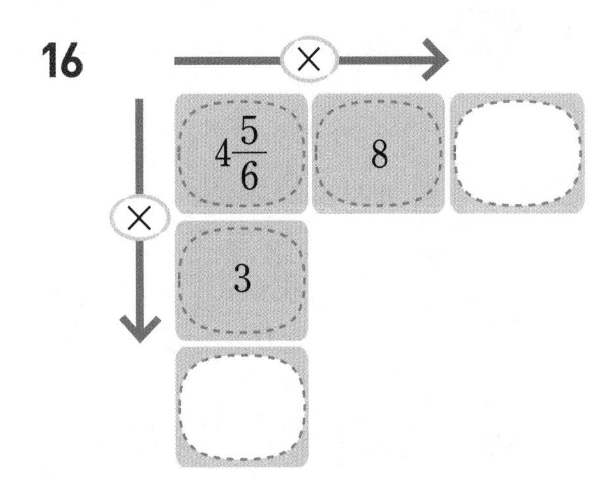

17

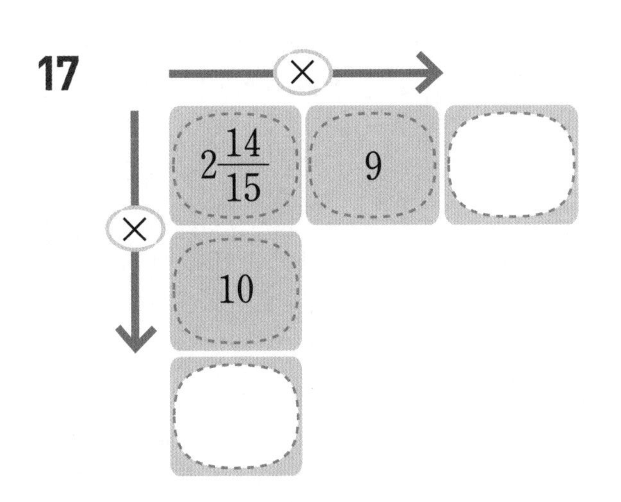

18

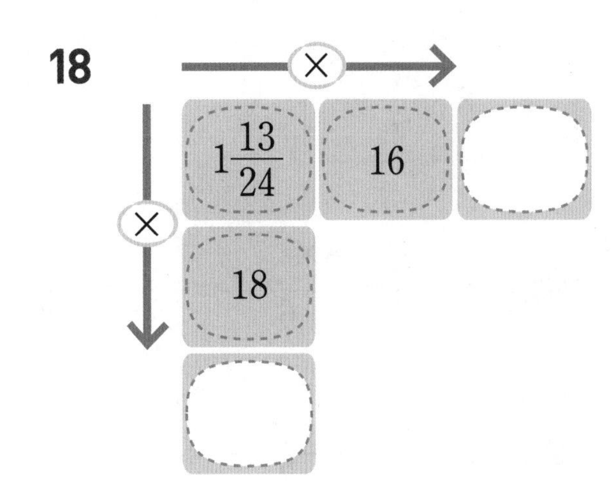

생활 속 연산

민솔이 아빠께서 $1\frac{1}{5}$ L짜리 음료수 8병을 사 오셨습니다. 민솔이 아빠께서 사 오신 음료수는 모두 몇 L인지 구하세요.

(　　　　　　　　)

3단계 분수의 곱셈

3. (자연수)×(진분수)

예 $9\times\frac{5}{6}$의 계산

방법 1 $9\times\frac{5}{6}=\frac{9\times5}{6}=\frac{\cancel{45}^{15}}{\cancel{6}_{2}}=\frac{15}{2}=7\frac{1}{2}$

→ 자연수에 분자를 곱한 다음 약분할 수 있어.

방법 2 $\cancel{9}^{3}\times\frac{5}{\cancel{6}_{2}}=\frac{3\times5}{2}=\frac{15}{2}=7\frac{1}{2}$

→ 약분이 되면 먼저 약분해.

자연수와 분수의 분자를 곱해서 풀어!

두 가지 방법으로 계산하세요.

1 $8\times\frac{5}{6}$

방법 1 $8\times\frac{5}{6}=\frac{8\times\square}{6}=\frac{\cancel{40}^{\square}}{\cancel{6}_{3}}=\frac{\square}{3}=\square\frac{\square}{3}$

방법 2 $\cancel{8}^{\square}\times\frac{5}{\cancel{6}_{3}}=\frac{\square\times5}{3}=\frac{\square}{3}=\square\frac{\square}{3}$

2 $9\times\frac{5}{12}$

방법 1 $9\times\frac{5}{12}=\frac{9\times\square}{12}=\frac{\cancel{45}^{\square}}{\cancel{12}_{4}}=\frac{\square}{4}=\square\frac{\square}{4}$

방법 2 $\cancel{9}^{\square}\times\frac{5}{\cancel{12}_{4}}=\frac{\square\times5}{4}=\frac{\square}{4}=\square\frac{\square}{4}$

계산을 하여 기약분수로 나타내세요.

3 $3\times\frac{3}{5}=\frac{3\times\boxed{3}}{5}=\frac{\boxed{9}}{5}=\boxed{1}\frac{\boxed{4}}{5}$

가분수는 대분수로 나타내.

4 $2\times\frac{3}{8}=\frac{2\times\square}{8}=\frac{\cancel{6}^{\square}}{\cancel{8}_{4}}=\frac{\square}{4}$

5 $6\times\frac{5}{9}=\frac{6\times\square}{9}=\frac{\cancel{30}^{\square}}{\cancel{9}_{3}}=\frac{\square}{3}=\square\frac{\square}{3}$

6 $\cancel{6}^{\square}\times\frac{7}{\cancel{15}_{5}}=\frac{\square\times 7}{5}=\frac{\square}{5}=\square\frac{\square}{5}$

7 $\cancel{10}^{\square}\times\frac{9}{\cancel{16}_{8}}=\frac{\square\times 9}{8}=\frac{\square}{8}=\square\frac{\square}{8}$

8 $\cancel{12}^{\square}\times\frac{7}{\cancel{15}_{5}}=\frac{\square\times 7}{5}=\frac{\square}{5}=\square\frac{\square}{5}$

3. (자연수)×(진분수)

계산을 하여 기약분수로 나타내세요.

1 $5\times\frac{1}{2}$

2 $3\times\frac{2}{3}$

3 $4\times\frac{1}{6}$

4 $4\times\frac{2}{5}$

5 $12\times\frac{3}{8}$

6 $10\times\frac{5}{6}$

7 $3\times\frac{2}{7}$

8 $6\times\frac{3}{8}$

9 $10\times\frac{3}{8}$

10 $15\times\frac{3}{10}$

11 $12\times\frac{7}{9}$

12 $7\times\frac{9}{10}$

13 $16\times\frac{7}{12}$

14 $10\times\frac{3}{14}$

두 수의 곱을 기약분수로 나타내세요.

15

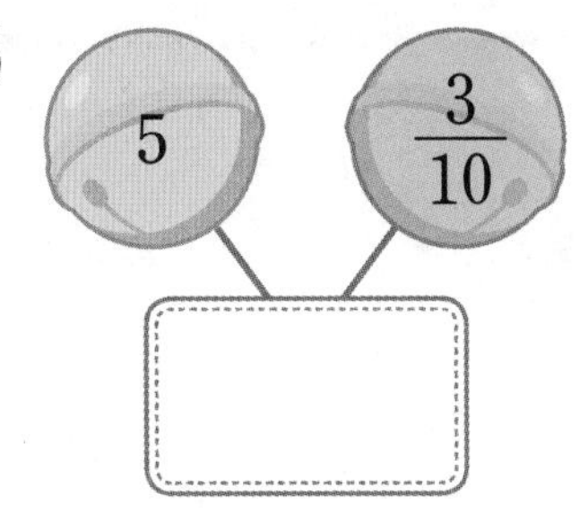

16

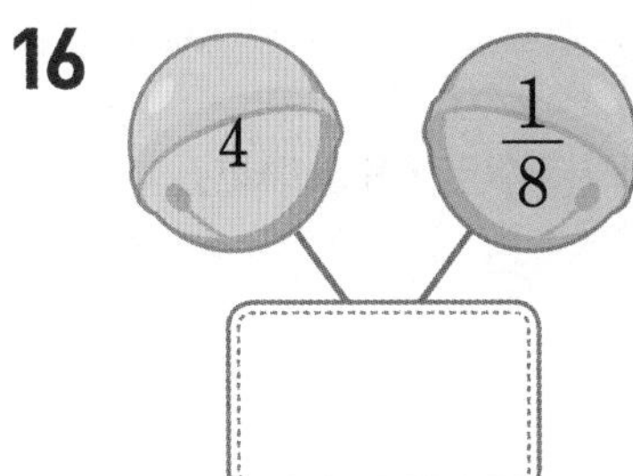

17

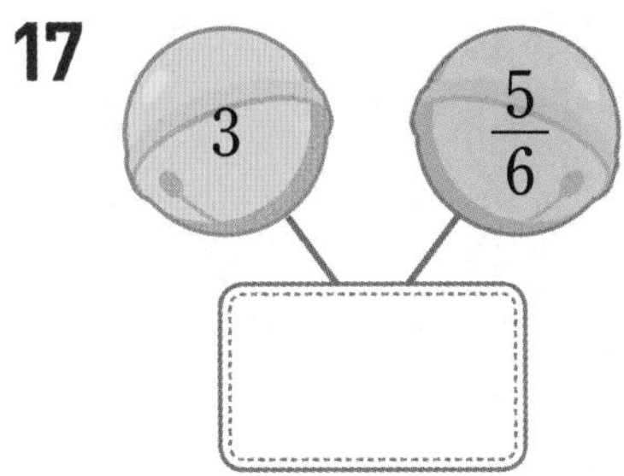

18

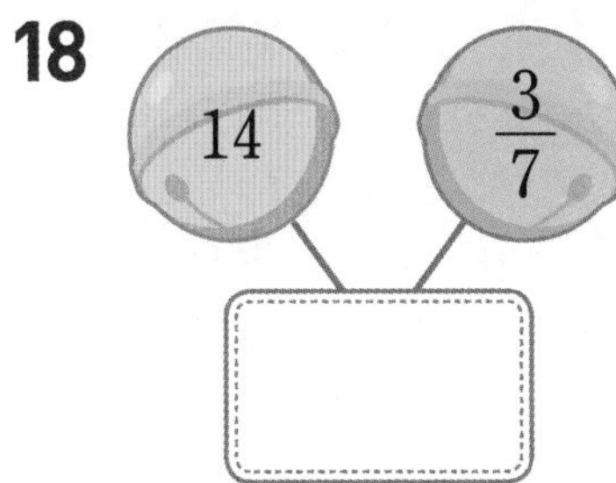

19

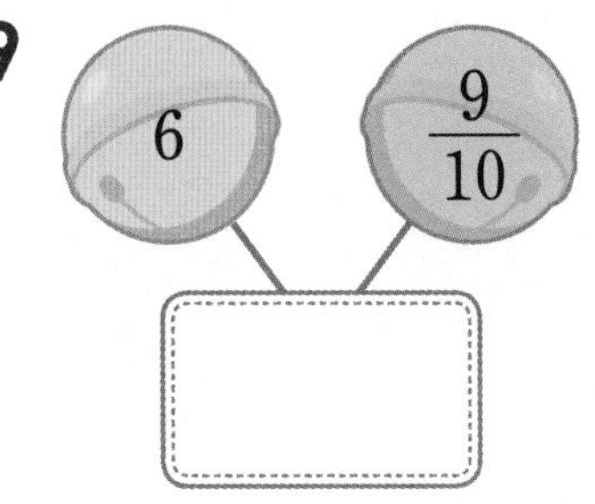

20

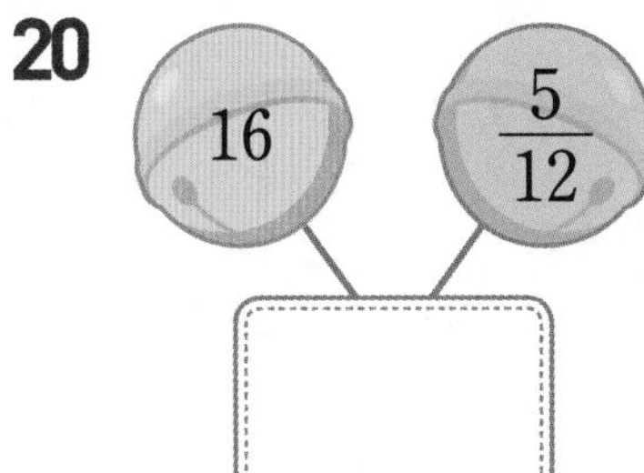

21

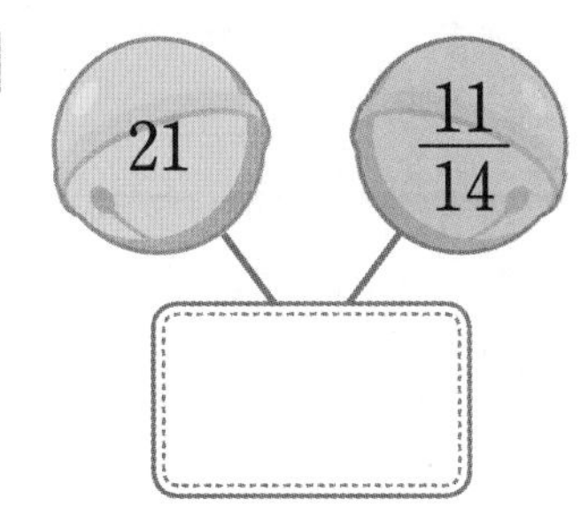

22

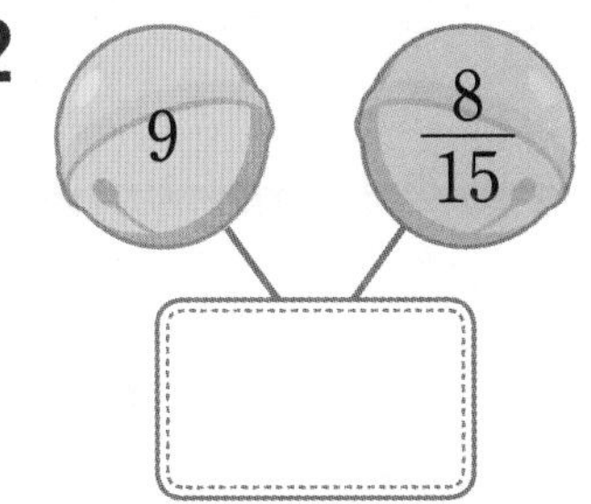

23

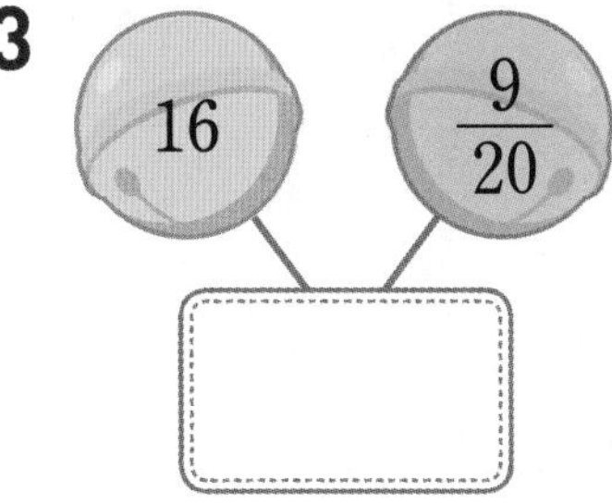

24

18

$\frac{7}{24}$

3. (자연수)×(진분수)

계산을 하여 기약분수로 나타내세요.

1 $2\times\frac{3}{4}$

2 $3\times\frac{2}{5}$

3 $8\times\frac{5}{6}$

4 $4\times\frac{3}{7}$

5 $4\times\frac{5}{8}$

6 $6\times\frac{2}{9}$

7 $7\times\frac{7}{9}$

8 $4\times\frac{7}{8}$

9 $6\times\frac{7}{8}$

10 $8\times\frac{11}{12}$

11 $5\times\frac{8}{15}$

12 $14\times\frac{10}{21}$

13 $10\times\frac{14}{25}$

14 $12\times\frac{9}{20}$

계산을 하여 기약분수로 나타내세요.

15
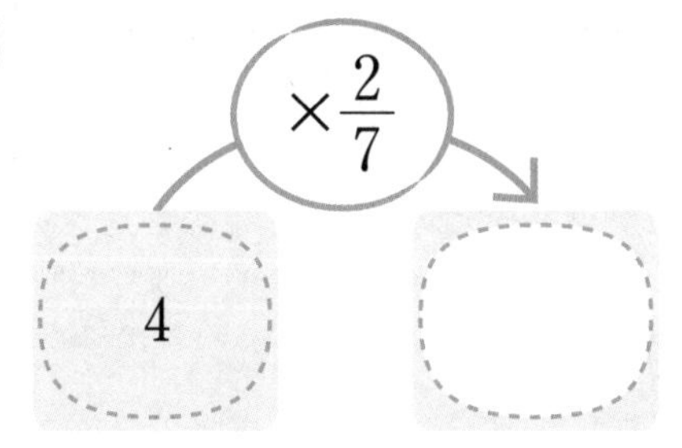

16
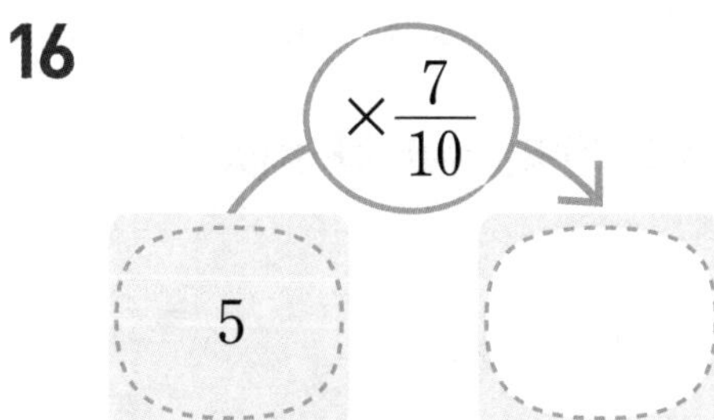

17
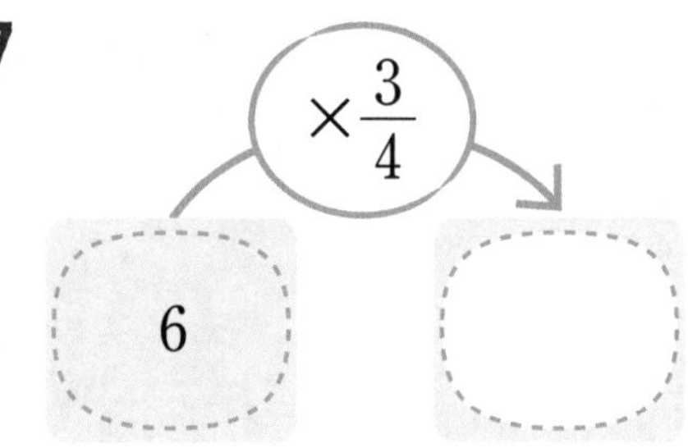

18
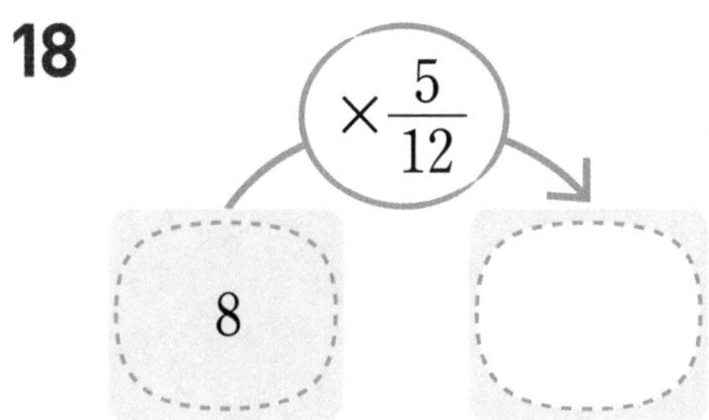

19
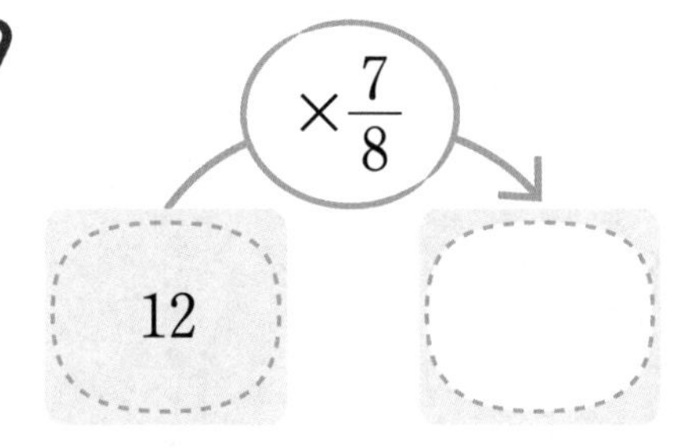

20
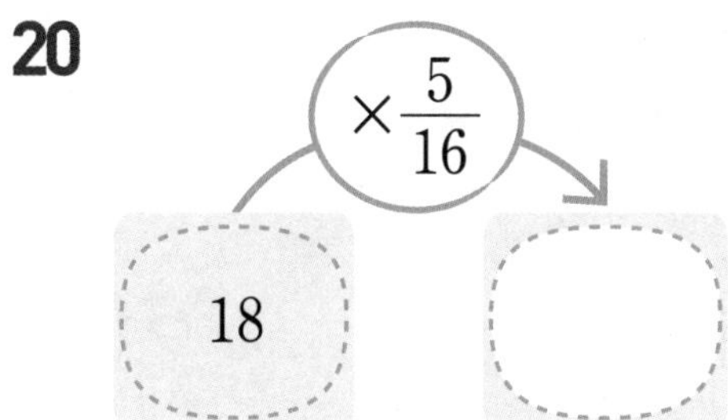

21
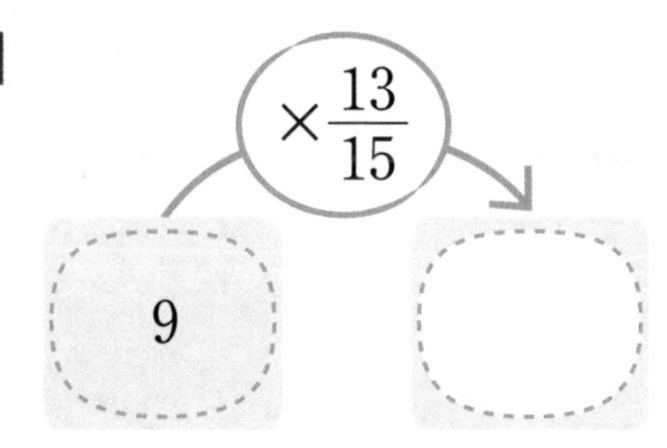

22
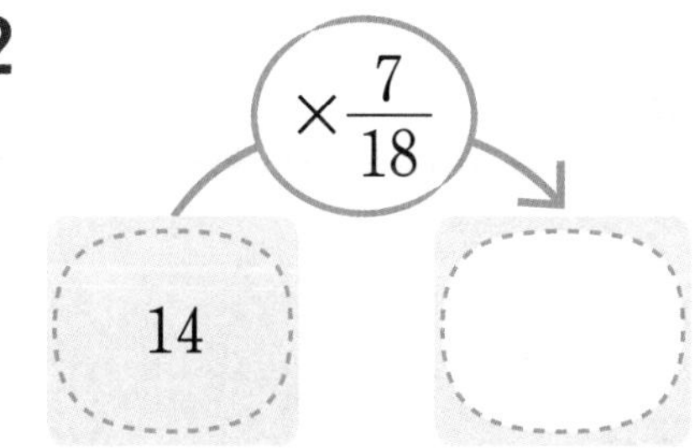

23
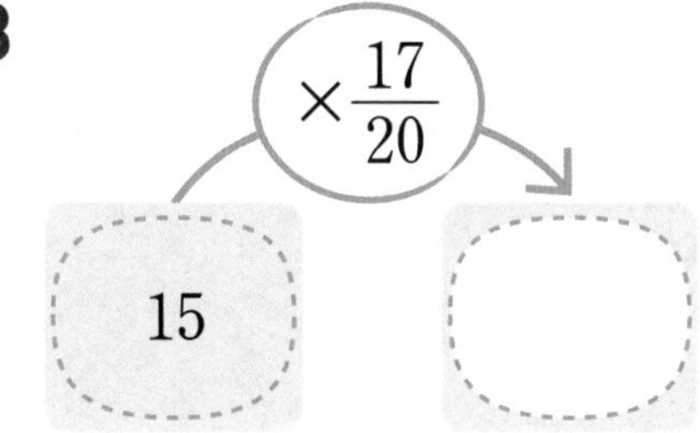

24
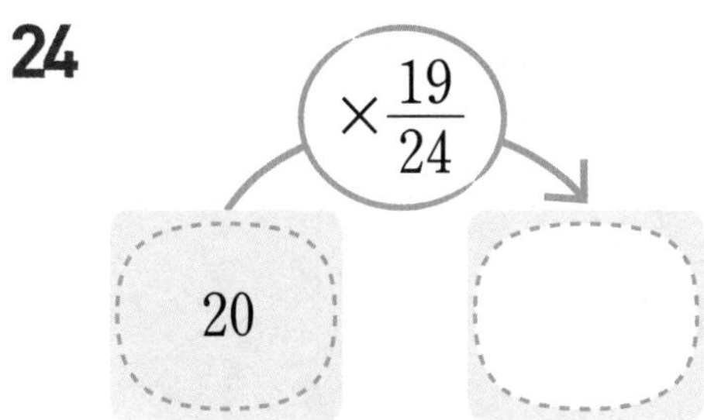

3. (자연수)×(진분수)

계산을 하여 기약분수로 나타내세요.

1 $5\times\frac{1}{3}$

2 $9\times\frac{1}{2}$

3 $8\times\frac{2}{5}$

4 $10\times\frac{4}{5}$

5 $6\times\frac{9}{10}$

6 $9\times\frac{7}{12}$

7 $9\times\frac{7}{8}$

8 $8\times\frac{8}{15}$

9 $8\times\frac{13}{20}$

10 $18\times\frac{10}{27}$

11 $10\times\frac{14}{15}$

12 $15\times\frac{11}{24}$

13 $16\times\frac{3}{28}$

14 $18\times\frac{13}{30}$

계산을 하여 기약분수로 나타내세요.

15

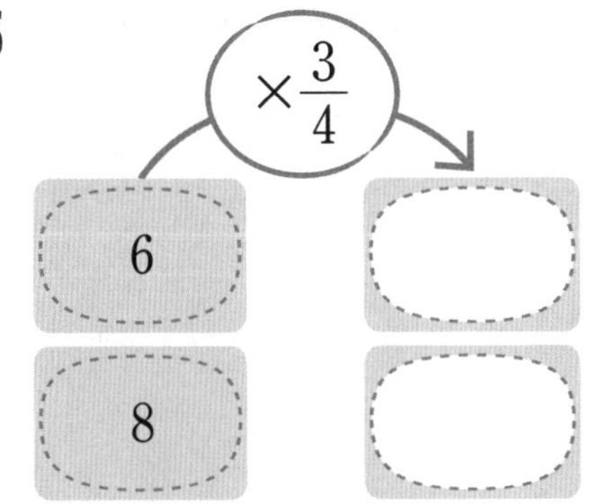

16

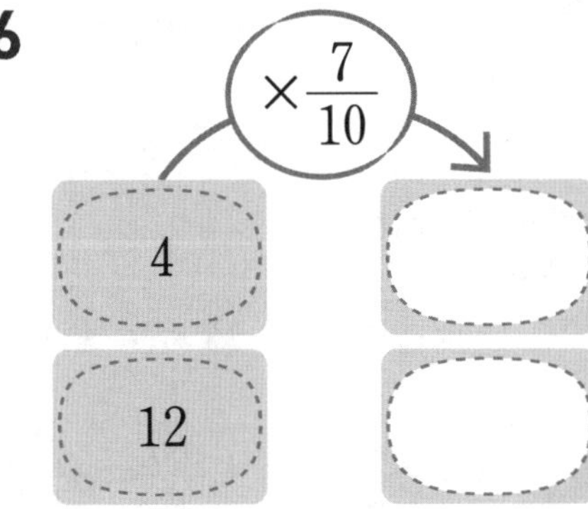

17

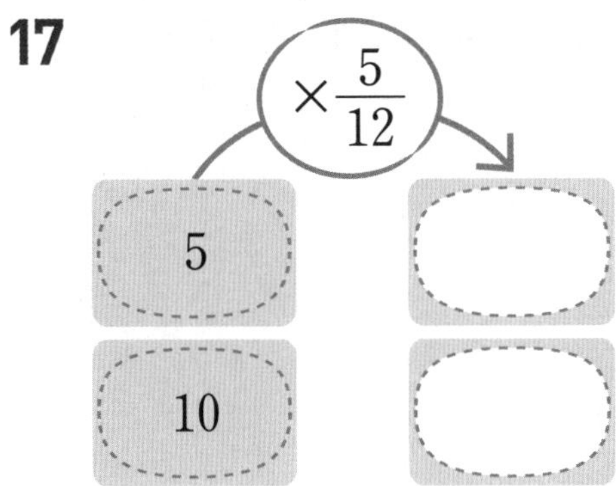

18

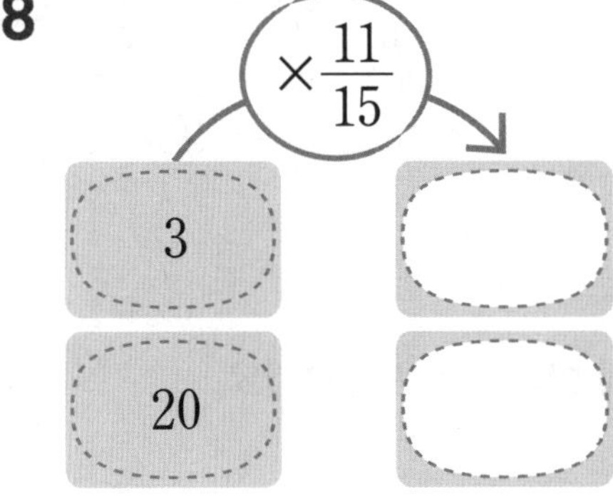

19

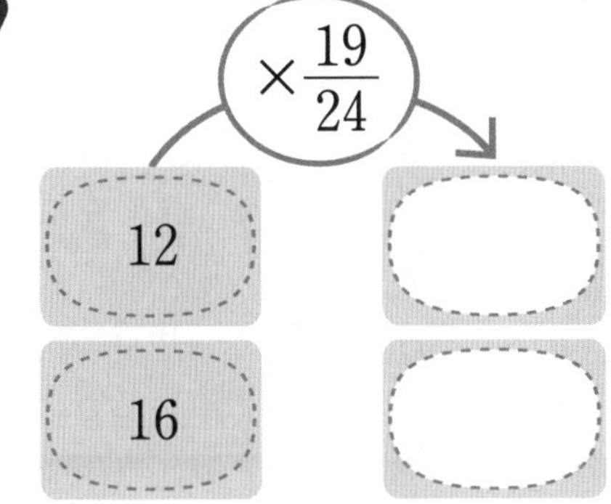

20

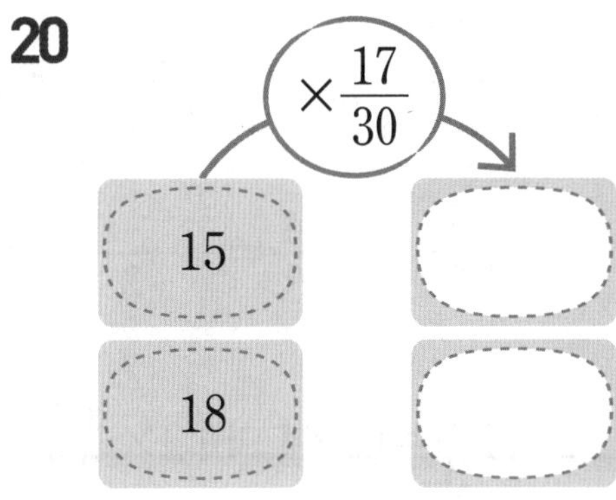

생활 속 연산

현서네 반은 모두 24명입니다. 대화를 읽고 현서네 반 남학생은 몇 명인지 구하세요.

우리 반 남학생은 몇 명일까?

남학생 수는 전체 학생 수의 $\frac{3}{8}$이야.

(   )

DAY 13

3단계 분수의 곱셈

4. (자연수)×(대분수)

예 $8\times2\frac{1}{6}$의 계산

대분수를 가분수로 고쳐서 계산해.

방법 1 $8\times2\frac{1}{6}=\overset{4}{\cancel{8}}\times\frac{13}{\underset{3}{\cancel{6}}}=\frac{4\times13}{3}=\frac{52}{3}=17\frac{1}{3}$

방법 2 $8\times2\frac{1}{6}=8\times\left(2+\frac{1}{6}\right)=(8\times2)+\left(\overset{4}{\cancel{8}}\times\frac{1}{\underset{3}{\cancel{6}}}\right)=16+\frac{4}{3}=16+1\frac{1}{3}=17\frac{1}{3}$

대분수를 자연수와 진분수의 합으로 보고 계산해.

두 가지 방법으로 계산하세요.

1 $2\times1\frac{1}{3}$

방법 1 $2\times1\frac{1}{3}=2\times\frac{4}{3}=\frac{2\times\square}{3}=\frac{\square}{3}=\square\frac{\square}{3}$

방법 2 $2\times1\frac{1}{3}=(2\times1)+\left(2\times\frac{1}{3}\right)=\square+\frac{\square}{3}=\square\frac{\square}{3}$

2 $2\times2\frac{3}{5}$

방법 1 $2\times2\frac{3}{5}=2\times\frac{\square}{5}=\frac{2\times\square}{5}=\frac{\square}{5}=\square\frac{\square}{5}$

방법 2 $2\times2\frac{3}{5}=(2\times2)+\left(2\times\frac{3}{5}\right)=\square+\frac{\square}{5}=\square+1\frac{1}{5}=\square\frac{\square}{5}$

계산을 하여 기약분수로 나타내세요.

3 $4\times1\frac{1}{6}=\overset{\boxed{2}}{\cancel{4}}\times\frac{\boxed{7}}{\underset{3}{\cancel{6}}}=\frac{\boxed{2}\times\boxed{7}}{3}=\frac{\boxed{14}}{3}=\boxed{4}\frac{\boxed{2}}{3}$

4 $6\times1\frac{1}{8}=\overset{\square}{\cancel{6}}\times\frac{\square}{\underset{4}{\cancel{8}}}=\frac{\square\times\square}{4}=\frac{\square}{4}=\square\frac{\square}{4}$

5 $3\times2\frac{2}{9}=\overset{\square}{\cancel{3}}\times\frac{\square}{\underset{3}{\cancel{9}}}=\frac{\square\times\square}{3}=\frac{\square}{3}=\square\frac{\square}{3}$

6 $3\times2\frac{5}{6}=(3\times\square)+\left(\overset{1}{\cancel{3}}\times\frac{\square}{\underset{2}{\cancel{6}}}\right)=\square+\frac{\square}{2}=\square+\square\frac{\square}{2}=\square\frac{\square}{2}$

7 $6\times1\frac{5}{12}=(6\times\square)+\left(\overset{\square}{\cancel{6}}\times\frac{\square}{\underset{2}{\cancel{12}}}\right)=\square+\frac{\square}{2}=\square+\square\frac{\square}{2}=\square\frac{\square}{2}$

8 $9\times1\frac{2}{15}=(9\times\square)+\left(\overset{\square}{\cancel{9}}\times\frac{\square}{\underset{5}{\cancel{15}}}\right)=\square+\frac{\square}{5}=\square+\square\frac{\square}{5}=\square\frac{\square}{5}$

DAY 14

4. (자연수)×(대분수)

계산을 하여 기약분수로 나타내세요.

1 $3\times2\frac{1}{2}$

2 $2\times1\frac{2}{3}$

3 $5\times1\frac{1}{4}$

4 $6\times2\frac{3}{4}$

5 $2\times1\frac{1}{5}$

6 $4\times2\frac{1}{6}$

7 $3\times1\frac{5}{6}$

8 $6\times1\frac{3}{8}$

9 $5\times2\frac{4}{7}$

10 $10\times2\frac{2}{5}$

11 $12\times1\frac{2}{9}$

12 $8\times1\frac{3}{10}$

13 $10\times2\frac{5}{12}$

14 $14\times1\frac{8}{21}$

계산을 하여 기약분수로 나타내세요.

15

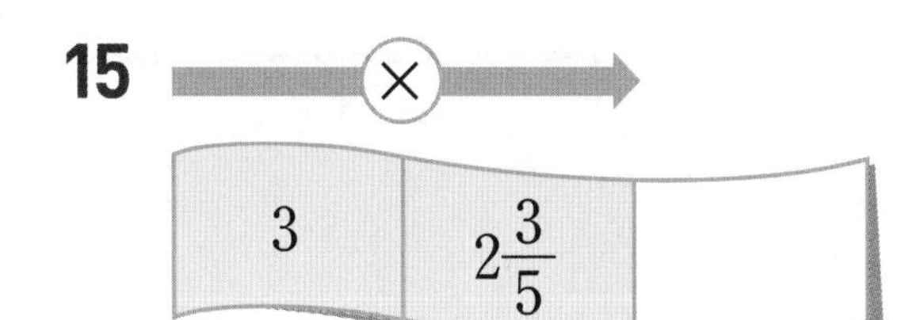

16

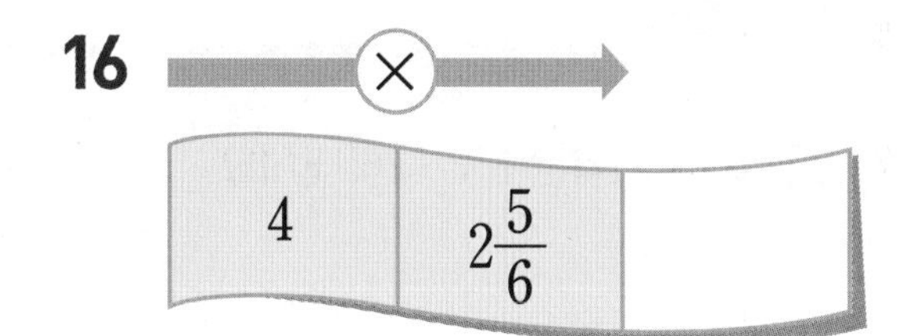

17

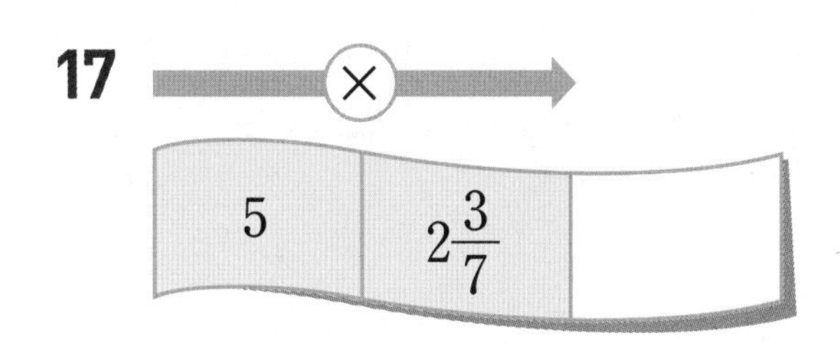

18

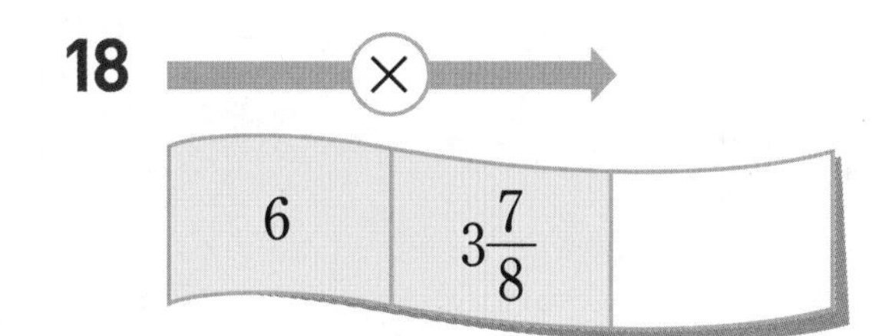

19

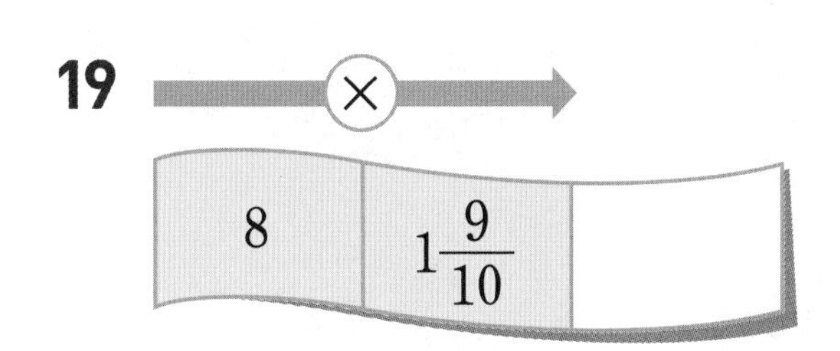

20

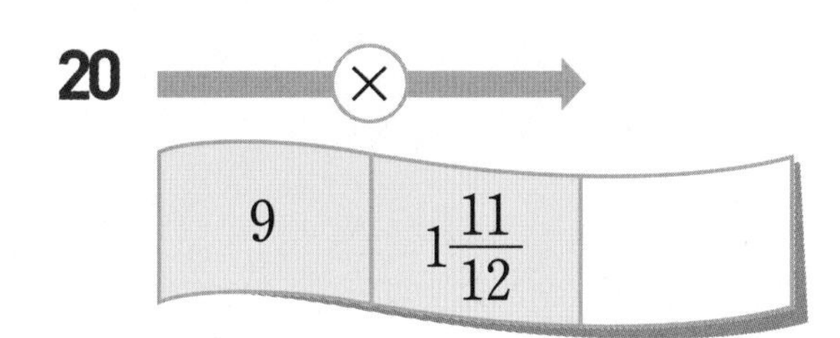

21

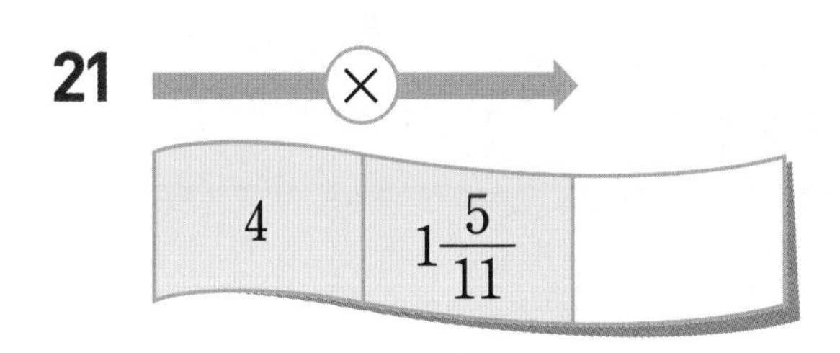

22

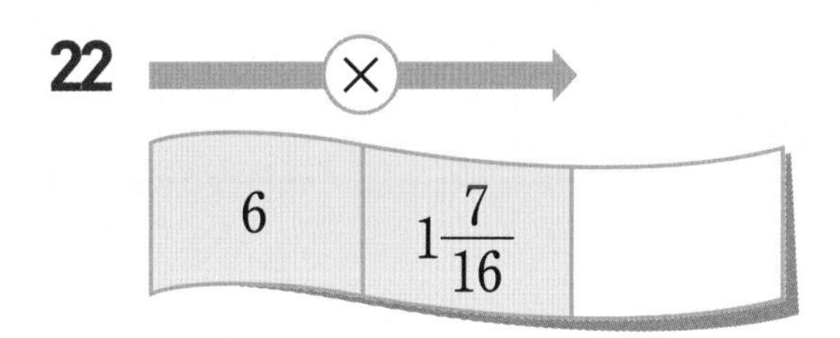

23

×

12 $1\frac{13}{18}$

24

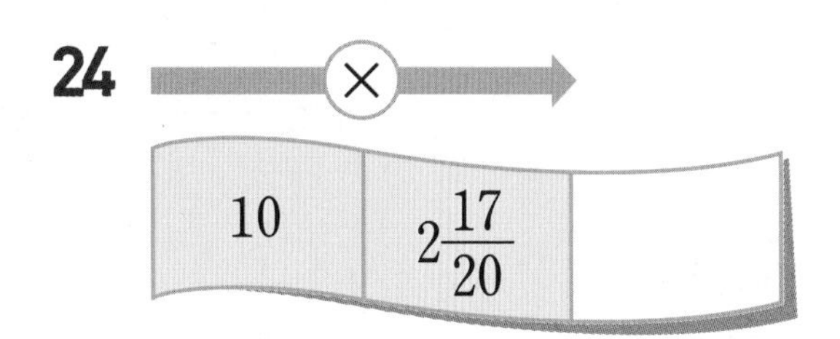

DAY 15

3단계 분수의 곱셈

4. (자연수)×(대분수)

계산을 하여 기약분수로 나타내세요.

1 $6\times2\frac{1}{3}$

2 $5\times1\frac{3}{4}$

3 $4\times1\frac{5}{6}$

4 $3\times2\frac{4}{5}$

5 $3\times4\frac{1}{6}$

6 $12\times1\frac{8}{9}$

7 $2\times3\frac{5}{7}$

8 $2\times6\frac{1}{8}$

9 $10\times3\frac{7}{8}$

10 $6\times4\frac{2}{9}$

11 $4\times2\frac{5}{12}$

12 $8\times2\frac{7}{18}$

13 $20\times1\frac{7}{10}$

14 $15\times1\frac{14}{25}$

두 수의 곱을 기약분수로 나타내세요.

15

16

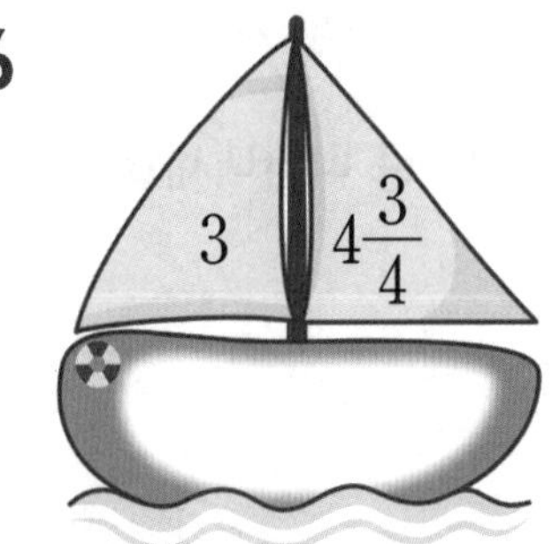

17

18

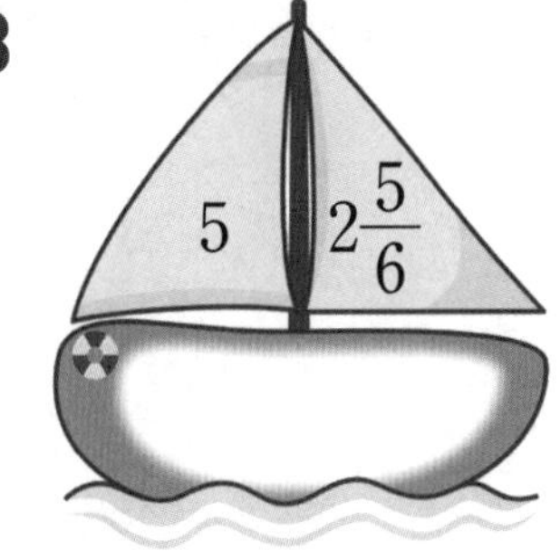

19

20

21

22

23

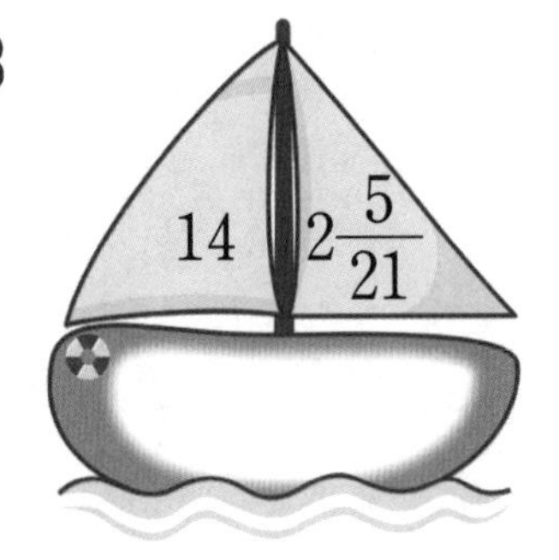

24

16 $1\frac{11}{20}$

3단계 분수의 곱셈

4. (자연수)×(대분수)

계산을 하여 기약분수로 나타내세요.

1 $9\times1\frac{1}{3}$

2 $3\times4\frac{1}{4}$

3 $8\times2\frac{5}{6}$

4 $2\times3\frac{2}{7}$

5 $4\times5\frac{7}{8}$

6 $6\times1\frac{5}{9}$

7 $7\times1\frac{4}{9}$

8 $8\times2\frac{7}{10}$

9 $4\times2\frac{5}{12}$

10 $7\times1\frac{11}{14}$

11 $8\times1\frac{13}{16}$

12 $7\times2\frac{4}{21}$

13 $16\times1\frac{13}{24}$

14 $8\times1\frac{15}{32}$

계산을 하여 기약분수로 나타내세요.

15

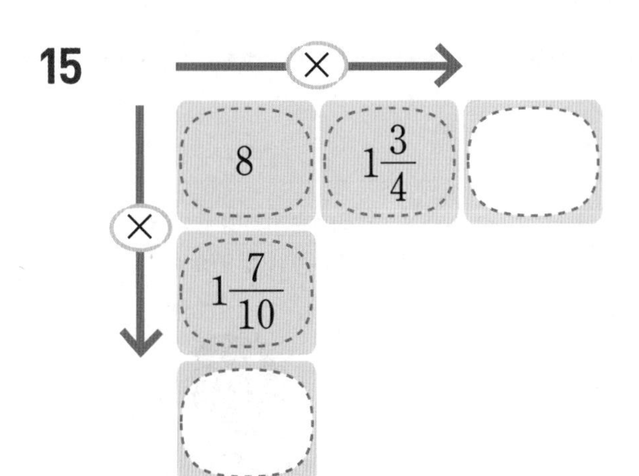

16

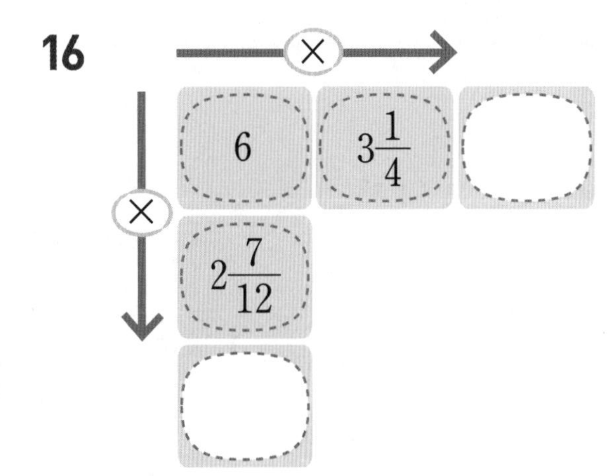

17

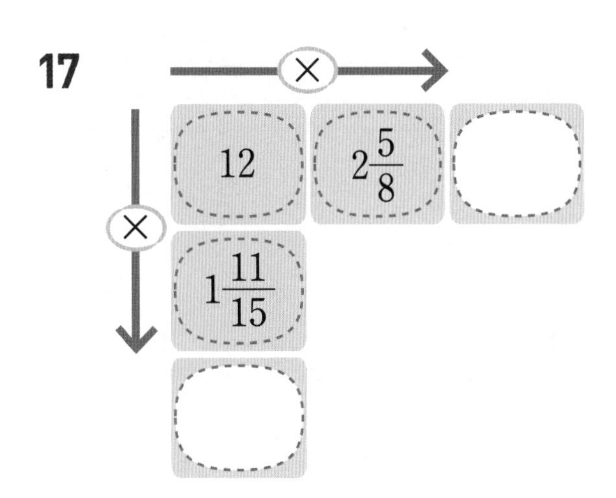

18

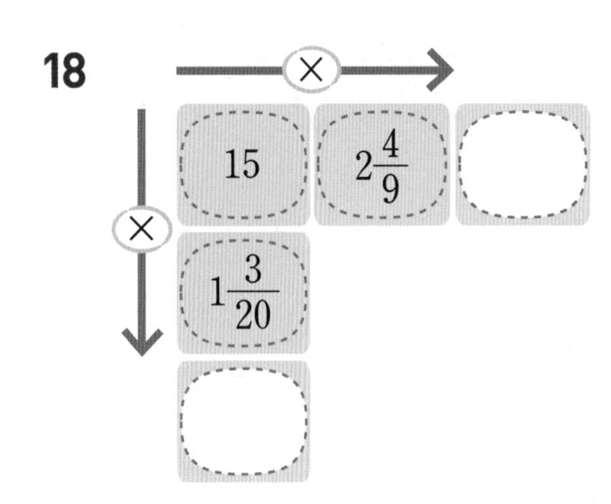

생활 속 연산

아린이와 준서의 대화를 읽고 준서의 몸무게는 몇 kg인지 구하세요.

나는 몸무게가 35 kg이야.

나는 아린이 몸무게의 $1\frac{2}{7}$배야.

(　　　　　　　　)

5. (진분수)×(진분수)

예 $\frac{1}{3}\times\frac{1}{5}$의 계산

$$\frac{1}{3}\times\frac{1}{5}=\frac{1}{3\times5}=\frac{1}{15}$$

분자는 항상 1이야.

분모끼리 곱해.

단위분수끼리의 곱에서 분자는 항상 1이야.

계산을 하세요.

1 $\frac{1}{2}\times\frac{1}{4}=\frac{1}{\boxed{2}\times\boxed{4}}=\frac{1}{\boxed{8}}$

2 $\frac{1}{3}\times\frac{1}{6}=\frac{1}{\square\times\square}=\frac{1}{\square}$

3 $\frac{1}{4}\times\frac{1}{5}=\frac{1}{\square\times\square}=\frac{1}{\square}$

4 $\frac{1}{4}\times\frac{1}{8}=\frac{1}{\square\times\square}=\frac{1}{\square}$

5 $\frac{1}{5}\times\frac{1}{2}=\frac{1}{\square\times\square}=\frac{1}{\square}$

6 $\frac{1}{5}\times\frac{1}{5}=\frac{1}{\square\times\square}=\frac{1}{\square}$

7 $\frac{1}{7}\times\frac{1}{8}=\frac{1}{\square\times\square}=\frac{1}{\square}$

8 $\frac{1}{6}\times\frac{1}{7}=\frac{1}{\square\times\square}=\frac{1}{\square}$

계산을 하세요.

9 ×

$\frac{1}{2}$	$\frac{1}{5}$	
$\frac{1}{7}$	$\frac{1}{4}$	

10 ×

$\frac{1}{4}$	$\frac{1}{6}$	
$\frac{1}{2}$	$\frac{1}{9}$	

11

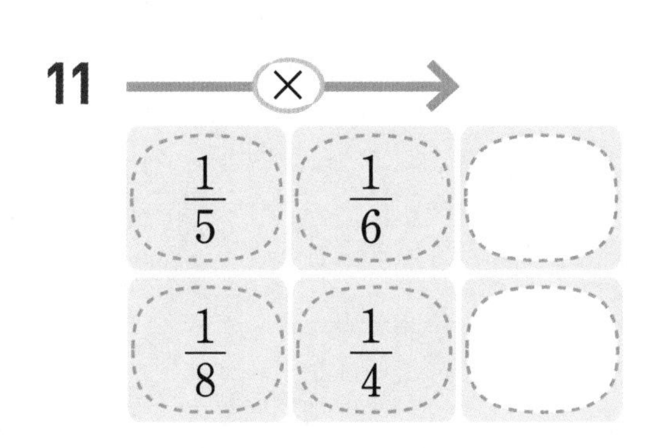

12

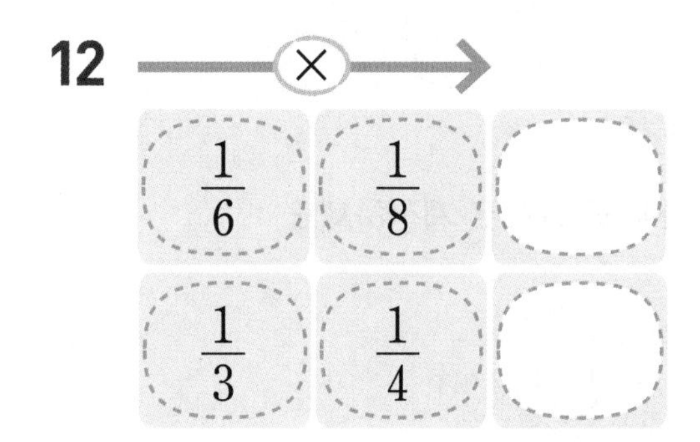

13 ×

$\frac{1}{9}$	$\frac{1}{3}$	
$\frac{1}{4}$	$\frac{1}{2}$	

14

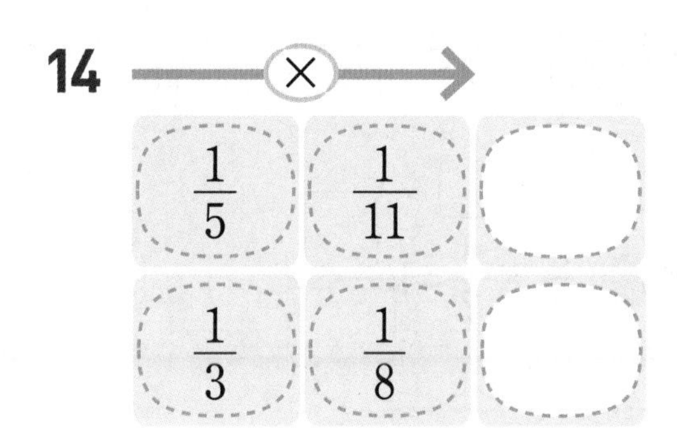

15 ×

$\frac{1}{8}$	$\frac{1}{5}$	
$\frac{1}{3}$	$\frac{1}{15}$	

16 ×

$\frac{1}{7}$	$\frac{1}{9}$	
$\frac{1}{12}$	$\frac{1}{4}$	

DAY 18

3단계 분수의 곱셈

5. (진분수)×(진분수)

예 $\frac{3}{4}\times\frac{8}{11}$의 계산

분모는 분모끼리, 분자는 분자끼리 곱해.

방법1 $\frac{3}{4}\times\frac{8}{11}=\frac{3\times8}{4\times11}=\frac{\cancel{24}^{6}}{\cancel{44}_{11}}=\frac{6}{11}$

방법2 $\frac{3}{\cancel{4}_{1}}\times\frac{\cancel{8}^{2}}{11}=\frac{6}{11}$

약분이 되면 먼저 약분해.

두 가지 방법으로 계산하세요.

1 $\frac{3}{8}\times\frac{4}{7}$

방법1 $\frac{3}{8}\times\frac{4}{7}=\frac{3\times\square}{8\times\square}=\frac{\cancel{12}^{\square}}{\cancel{56}_{14}}=\frac{\square}{\square}$

방법2 $\frac{3}{\cancel{8}_{2}}\times\frac{\cancel{4}^{\square}}{7}=\frac{\square}{\square}$

2 $\frac{4}{9}\times\frac{6}{11}$

방법1 $\frac{4}{9}\times\frac{6}{11}=\frac{4\times\square}{9\times\square}=\frac{\cancel{24}^{\square}}{\cancel{99}_{33}}=\frac{\square}{\square}$

방법2 $\frac{4}{\cancel{9}_{3}}\times\frac{\cancel{6}^{\square}}{11}=\frac{\square}{\square}$

계산을 하여 기약분수로 나타내세요.

3 $\frac{3}{4}\times\frac{3}{5}=\frac{3\times\square}{4\times\square}=\frac{\square}{\square}$

4 $\frac{5}{8}\times\frac{2}{3}=\frac{5\times\square}{8\times\square}=\frac{\overset{\square}{\cancel{10}}}{\underset{12}{\cancel{24}}}=\frac{\square}{\square}$

5 $\frac{2}{5}\times\frac{3}{8}=\frac{2\times\square}{5\times\square}=\frac{\overset{\square}{\cancel{6}}}{\underset{20}{\cancel{40}}}=\frac{\square}{\square}$

6 $\frac{8}{9}\times\frac{6}{7}=\frac{8\times\square}{9\times\square}=\frac{\overset{\square}{\cancel{48}}}{\underset{21}{\cancel{63}}}=\frac{\square}{\square}$

7 $\frac{3}{5}\times\frac{4}{9}=\frac{3\times\square}{5\times\square}=\frac{\overset{\square}{\cancel{12}}}{\underset{15}{\cancel{45}}}=\frac{\square}{\square}$

8 $\frac{7}{10}\times\frac{8}{9}=\frac{7\times\square}{10\times\square}=\frac{\overset{\square}{\cancel{56}}}{\underset{45}{\cancel{90}}}=\frac{\square}{\square}$

9 $\frac{3}{\underset{2}{\cancel{4}}}\times\frac{\overset{1}{\cancel{2}}}{7}=\frac{\square}{\square}$

10 $\frac{3}{\underset{2}{\cancel{10}}}\times\frac{\overset{\square}{\cancel{5}}}{8}=\frac{\square}{\square}$

11 $\frac{7}{\underset{3}{\cancel{12}}}\times\frac{\overset{\square}{\cancel{4}}}{9}=\frac{\square}{\square}$

12 $\frac{5}{\underset{3}{\cancel{18}}}\times\frac{\overset{\square}{\cancel{12}}}{13}=\frac{\square}{\square}$

13 $\frac{\overset{\square}{\cancel{5}}}{\underset{3}{\cancel{9}}}\times\frac{\overset{\square}{\cancel{3}}}{\underset{1}{\cancel{5}}}=\frac{\square}{\square}$

14 $\frac{\overset{\square}{\cancel{3}}}{\underset{7}{\cancel{14}}}\times\frac{\overset{\square}{\cancel{8}}}{\underset{3}{\cancel{9}}}=\frac{\square}{\square}$

3단계 분수의 곱셈

5. (진분수)×(진분수)

계산을 하여 기약분수로 나타내세요.

1 $\frac{1}{5}\times\frac{1}{3}$

2 $\frac{1}{7}\times\frac{1}{9}$

3 $\frac{3}{4}\times\frac{1}{2}$

4 $\frac{2}{9}\times\frac{1}{4}$

5 $\frac{3}{5}\times\frac{2}{7}$

6 $\frac{4}{7}\times\frac{3}{8}$

7 $\frac{1}{6}\times\frac{4}{9}$

8 $\frac{3}{8}\times\frac{4}{11}$

9 $\frac{7}{9}\times\frac{6}{35}$

10 $\frac{3}{10}\times\frac{5}{9}$

11 $\frac{5}{11}\times\frac{4}{15}$

12 $\frac{7}{12}\times\frac{2}{3}$

13 $\frac{9}{14}\times\frac{2}{15}$

14 $\frac{3}{16}\times\frac{8}{9}$

두 수의 곱을 기약분수로 나타내세요.

15

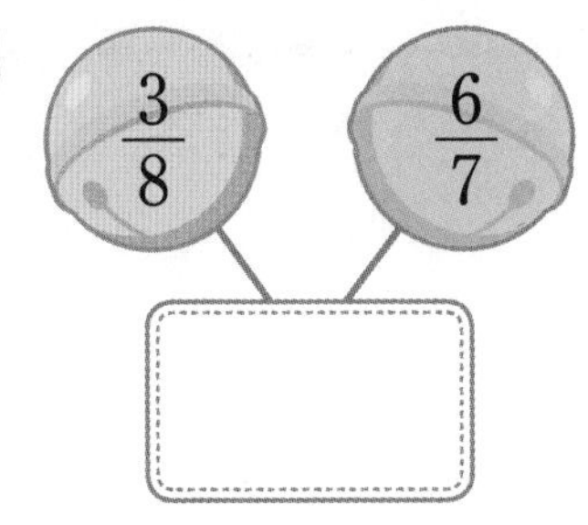

16

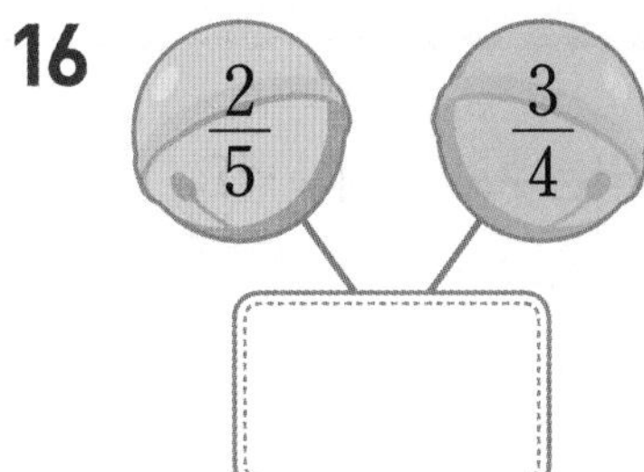

17

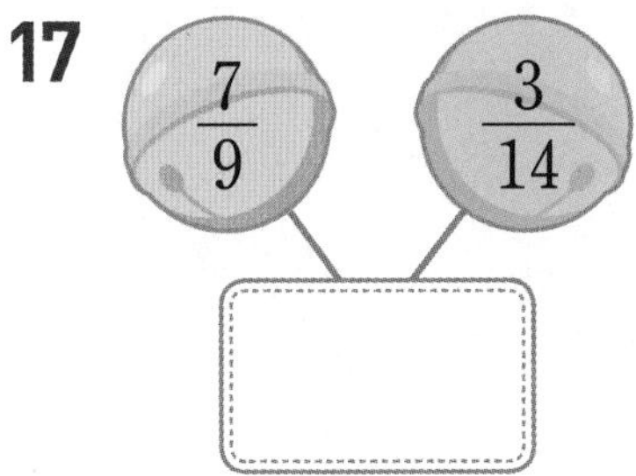

18

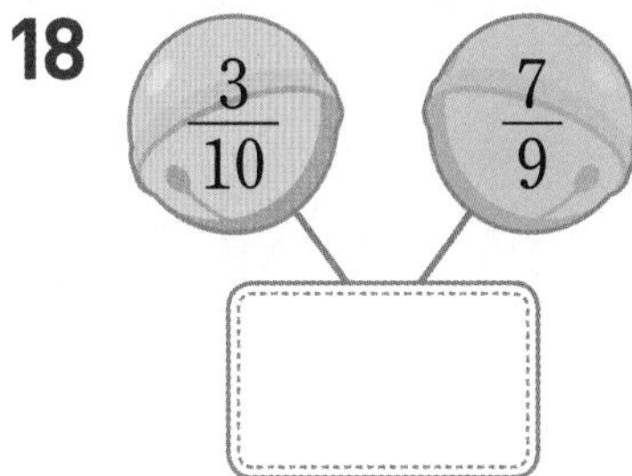

19

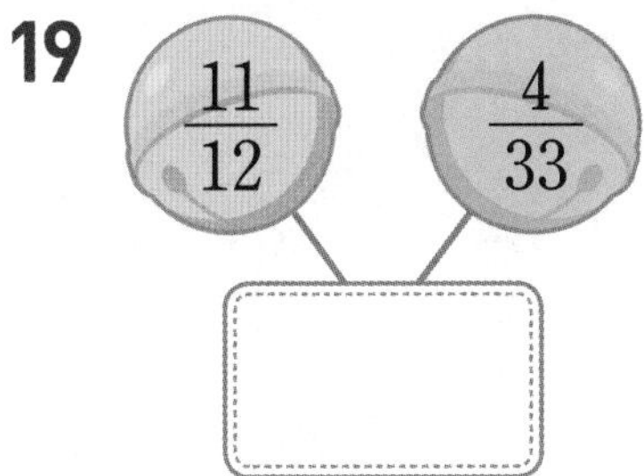

20

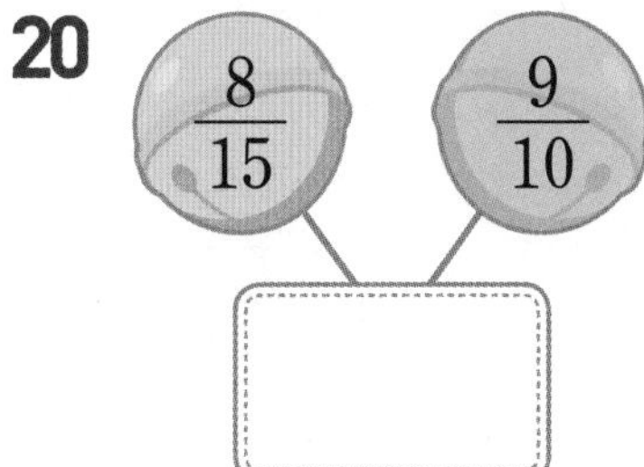

21

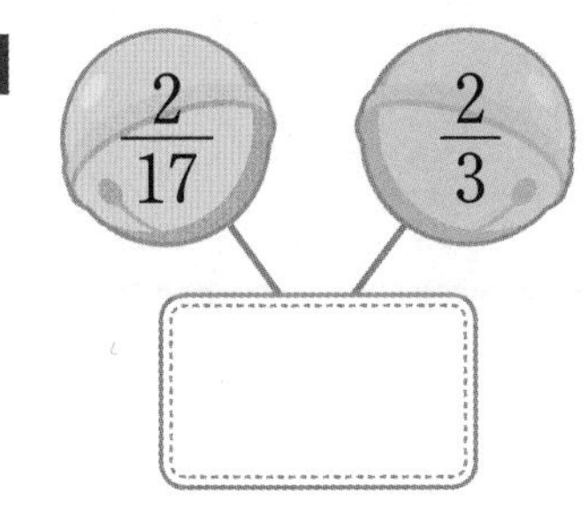

22

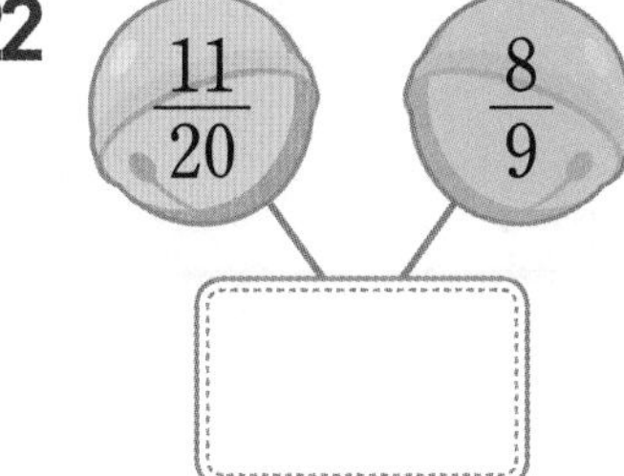

23

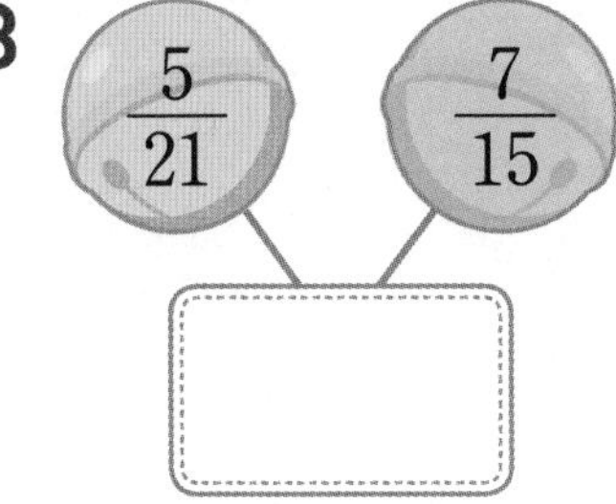

24

$\frac{13}{30}$ $\frac{5}{26}$

DAY 20

3단계 분수의 곱셈

5. (진분수)×(진분수)

계산을 하여 기약분수로 나타내세요.

1 $\frac{1}{4}\times\frac{1}{6}$

2 $\frac{1}{3}\times\frac{1}{11}$

3 $\frac{4}{9}\times\frac{1}{8}$

4 $\frac{5}{8}\times\frac{1}{10}$

5 $\frac{2}{3}\times\frac{6}{7}$

6 $\frac{4}{5}\times\frac{7}{12}$

7 $\frac{5}{6}\times\frac{12}{13}$

8 $\frac{3}{8}\times\frac{4}{9}$

9 $\frac{8}{9}\times\frac{6}{13}$

10 $\frac{5}{12}\times\frac{4}{15}$

11 $\frac{3}{14}\times\frac{7}{9}$

12 $\frac{8}{15}\times\frac{3}{4}$

13 $\frac{11}{18}\times\frac{9}{10}$

14 $\frac{9}{28}\times\frac{16}{27}$

계산을 하여 기약분수로 나타내세요.

15

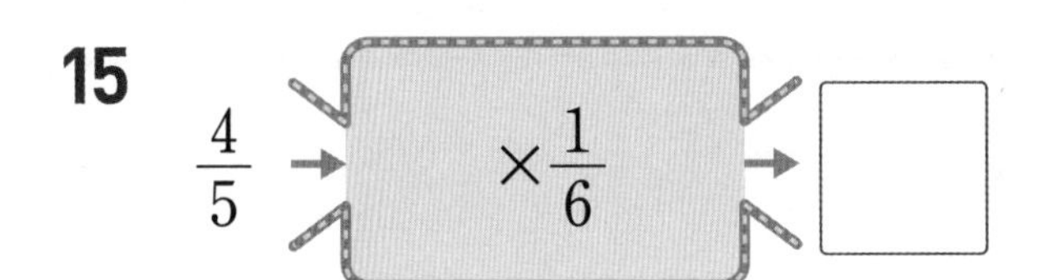

$\frac{4}{5}$ → $\times\frac{1}{6}$ → □

16 $\frac{5}{6}$ → $\times\frac{3}{10}$ → □

17 $\frac{3}{7}$ → $\times\frac{2}{9}$ → □

18 $\frac{7}{8}$ → $\times\frac{3}{14}$ → □

19 $\frac{5}{9}$ → $\times\frac{8}{15}$ → □

20 $\frac{7}{12}$ → $\times\frac{10}{21}$ → □

21 $\frac{9}{14}$ → $\times\frac{7}{12}$ → □

22 $\frac{9}{16}$ → $\times\frac{4}{7}$ → □

23 $\frac{13}{24}$ → $\times\frac{8}{11}$ → □

24 $\frac{20}{49}$ → $\times\frac{14}{25}$ → □

5. (진분수)×(진분수)

계산을 하여 기약분수로 나타내세요.

1 $\frac{1}{3}\times\frac{1}{7}$

2 $\frac{1}{5}\times\frac{1}{8}$

3 $\frac{2}{3}\times\frac{1}{10}$

4 $\frac{3}{4}\times\frac{5}{9}$

5 $\frac{5}{6}\times\frac{4}{15}$

6 $\frac{2}{7}\times\frac{3}{8}$

7 $\frac{4}{9}\times\frac{7}{12}$

8 $\frac{3}{10}\times\frac{5}{18}$

9 $\frac{11}{12}\times\frac{8}{33}$

10 $\frac{9}{16}\times\frac{4}{15}$

11 $\frac{7}{18}\times\frac{9}{14}$

12 $\frac{8}{21}\times\frac{7}{24}$

13 $\frac{13}{42}\times\frac{7}{26}$

14 $\frac{9}{35}\times\frac{14}{15}$

계산을 하여 기약분수로 나타내세요.

15

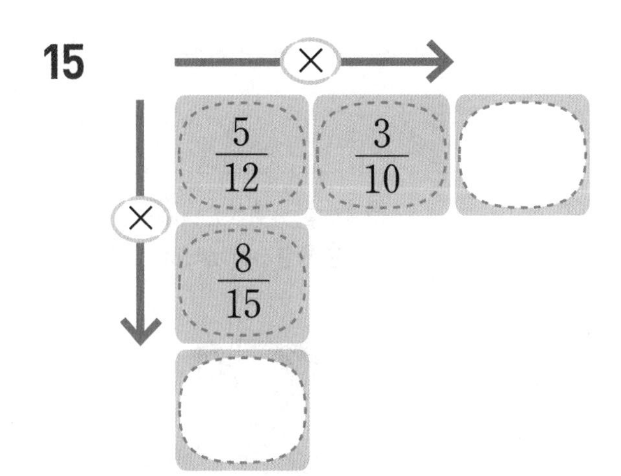

16

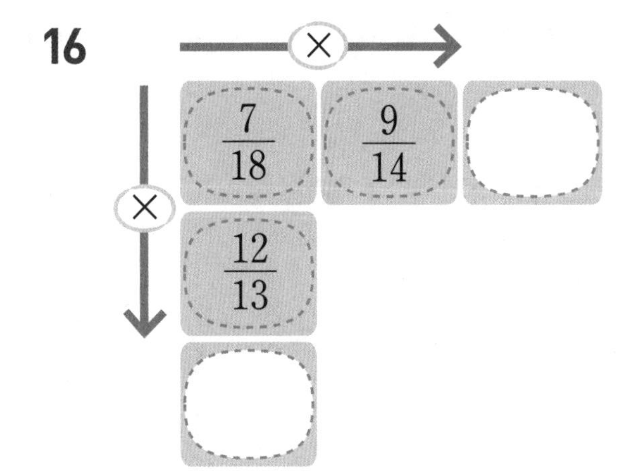

17

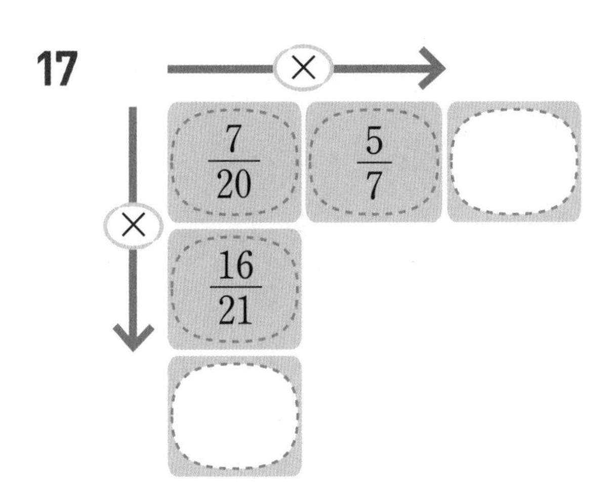

18

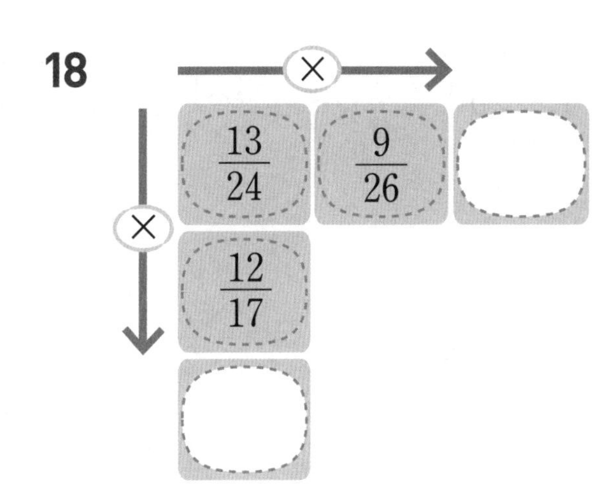

생활 속 연산

민재와 현서의 대화를 읽고 민재네 반 학생 중에서 안경을 쓴 여학생은 전체의 얼마인지 구하세요.

우리 반 여학생은 전체의 $\frac{4}{7}$야.

여학생의 $\frac{3}{4}$이 안경을 썼네.

( )

6. (대분수)×(대분수)

예 $2\frac{2}{3}\times1\frac{1}{4}$의 계산

대분수를 가분수로 나타낸 다음 약분하여 계산해.

$$2\frac{2}{3}\times1\frac{1}{4}=\frac{\overset{2}{\cancel{8}}}{3}\times\frac{5}{\underset{1}{\cancel{4}}}=\frac{2\times5}{3\times1}=\frac{10}{3}=3\frac{1}{3}$$

대분수를 가분수로 바꿔. 가분수를 대분수로 바꿔.

계산을 하여 기약분수로 나타내세요.

1 $1\frac{1}{2}\times2\frac{1}{4}=\frac{3}{2}\times\frac{9}{4}=\frac{3\times9}{2\times4}=\frac{\boxed{27}}{\boxed{8}}=\boxed{3}\frac{\boxed{3}}{8}$

2 $2\frac{1}{4}\times1\frac{1}{6}=\frac{\overset{3}{\cancel{9}}}{4}\times\frac{7}{\underset{2}{\cancel{6}}}=\frac{3\times7}{4\times2}=\frac{\square}{\square}=\square\frac{\square}{8}$

3 $1\frac{1}{6}\times3\frac{3}{5}=\frac{\square}{\underset{1}{\cancel{6}}}\times\frac{\overset{\square}{\cancel{18}}}{5}=\frac{\square\times\square}{1\times5}=\frac{\square}{5}=\square\frac{\square}{5}$

4 $3\frac{3}{7}\times1\frac{3}{8}=\frac{\overset{\square}{\cancel{24}}}{7}\times\frac{\square}{\underset{1}{\cancel{8}}}=\frac{\square\times\square}{7\times1}=\frac{\square}{\square}=\square\frac{\square}{7}$

5 $1\frac{2}{5}\times1\frac{1}{14}=\frac{\overset{1}{\cancel{7}}}{\underset{1}{\cancel{5}}}\times\frac{\overset{\square}{\cancel{15}}}{\underset{\square}{\cancel{14}}}=\frac{1\times\square}{1\times\square}=\frac{\square}{\square}=\square\frac{\square}{2}$

보기 와 같이 계산하세요.

보기

$$2\frac{6}{7}\times2\frac{1}{4}=\frac{\overset{5}{\cancel{20}}}{7}\times\frac{9}{\underset{1}{\cancel{4}}}=\frac{45}{7}=6\frac{3}{7}$$

6 $2\frac{1}{2}\times1\frac{1}{7}=$

7 $1\frac{3}{5}\times1\frac{1}{6}=$

8 $1\frac{4}{5}\times2\frac{2}{3}=$

9 $2\frac{1}{6}\times1\frac{5}{9}=$

10 $3\frac{3}{4}\times2\frac{6}{7}=$

11 $2\frac{1}{12}\times4\frac{1}{5}=$

3단계 분수의 곱셈

6. (대분수)×(대분수)

계산을 하여 기약분수로 나타내세요.

1 $1\frac{1}{3}\times1\frac{1}{8}$

2 $2\frac{1}{4}\times2\frac{1}{6}$

3 $3\frac{1}{5}\times1\frac{3}{8}$

4 $3\frac{3}{4}\times1\frac{5}{9}$

5 $4\frac{1}{6}\times1\frac{2}{15}$

6 $2\frac{2}{7}\times5\frac{1}{4}$

7 $2\frac{1}{8}\times1\frac{1}{3}$

8 $2\frac{7}{10}\times1\frac{5}{18}$

9 $1\frac{3}{10}\times1\frac{1}{3}$

10 $1\frac{1}{14}\times2\frac{4}{5}$

11 $2\frac{5}{6}\times4\frac{1}{2}$

12 $3\frac{3}{10}\times1\frac{4}{11}$

13 $2\frac{1}{12}\times1\frac{1}{15}$

14 $3\frac{3}{5}\times1\frac{1}{6}$

 계산을 하여 기약분수로 나타내세요.

15

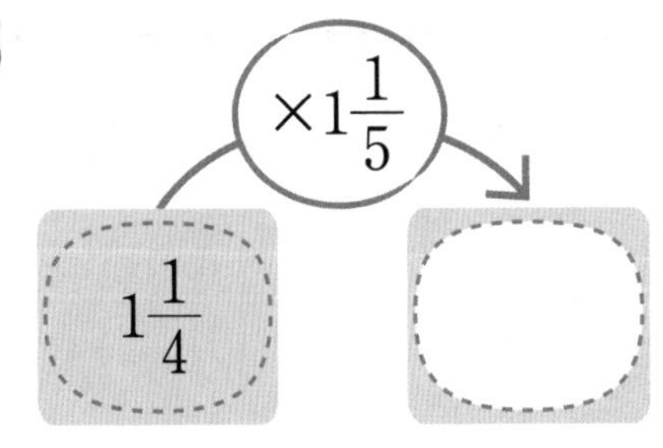

16

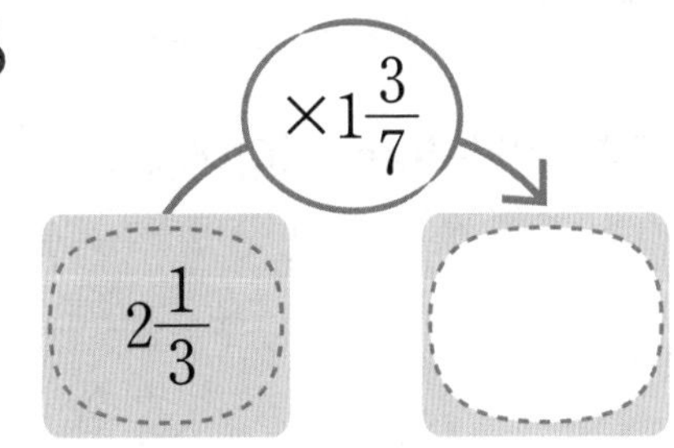

17

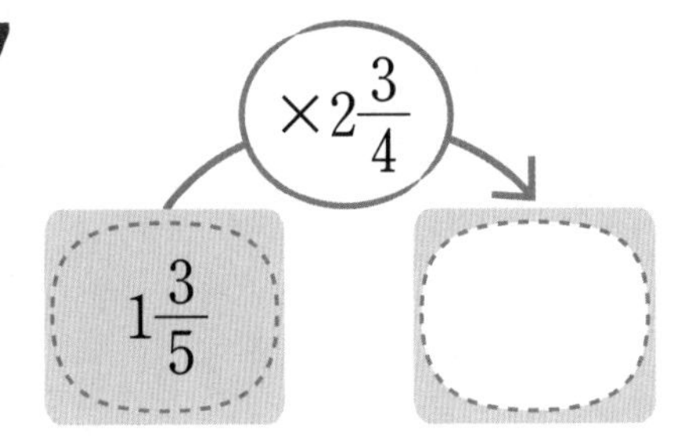

18

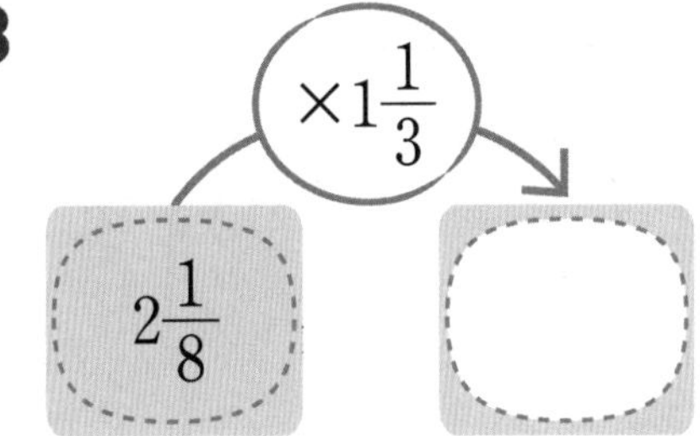

19

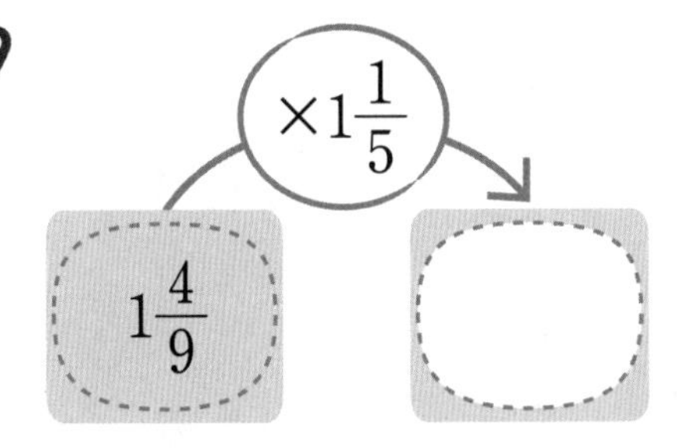

20

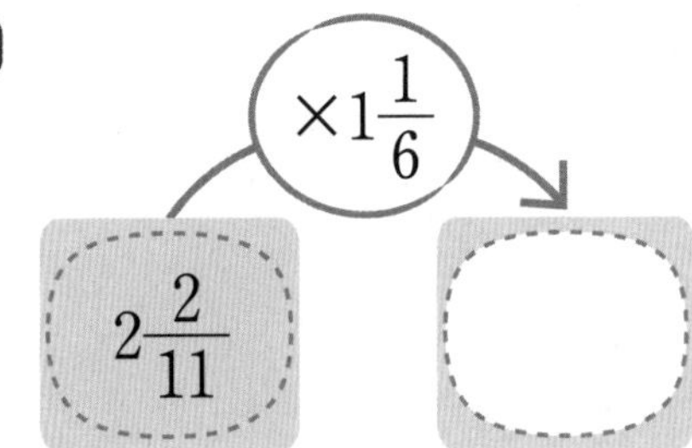

21

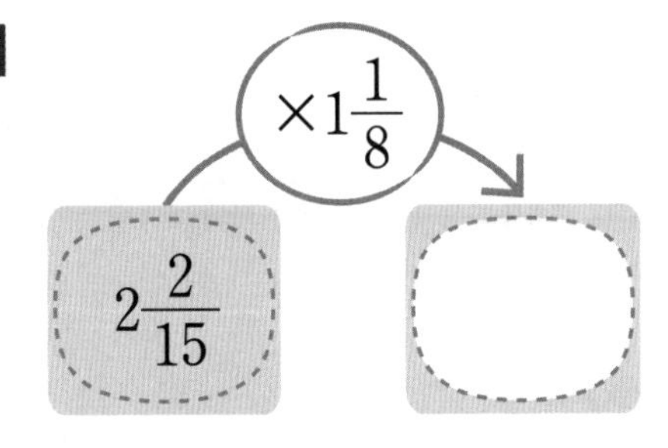

22

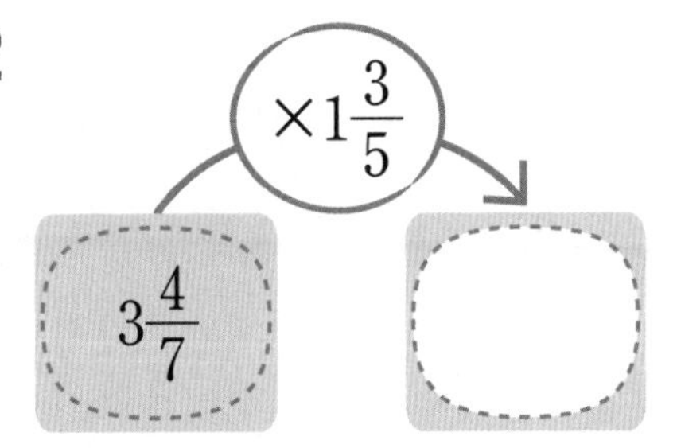

23

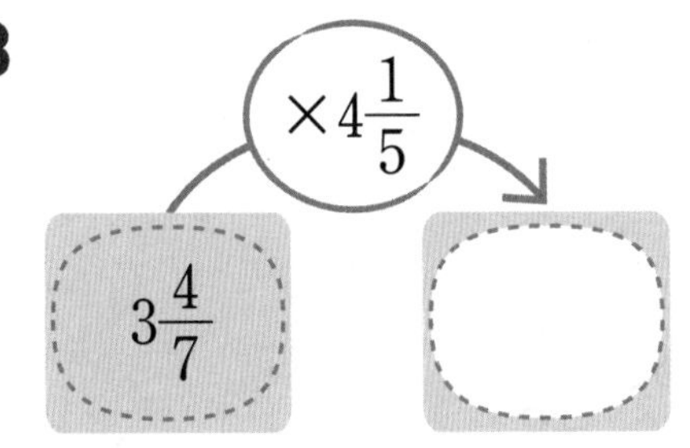

24

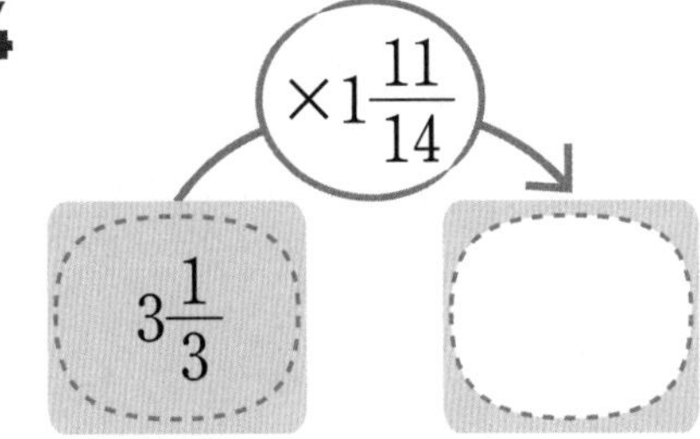

DAY 24

6. (대분수)×(대분수)

계산을 하여 기약분수로 나타내세요.

1 $1\frac{1}{2}\times1\frac{1}{9}$

2 $1\frac{2}{3}\times1\frac{1}{5}$

3 $2\frac{1}{3}\times1\frac{4}{7}$

4 $2\frac{4}{5}\times3\frac{1}{2}$

5 $3\frac{1}{8}\times1\frac{3}{10}$

6 $1\frac{4}{9}\times3\frac{3}{8}$

7 $3\frac{5}{9}\times2\frac{1}{2}$

8 $2\frac{7}{10}\times2\frac{1}{3}$

9 $2\frac{3}{11}\times2\frac{1}{5}$

10 $2\frac{11}{12}\times1\frac{13}{14}$

11 $1\frac{5}{16}\times3\frac{6}{7}$

12 $3\frac{3}{7}\times1\frac{1}{4}$

13 $2\frac{11}{24}\times4\frac{2}{7}$

14 $3\frac{5}{17}\times3\frac{3}{16}$

계산을 하여 기약분수로 나타내세요.

15 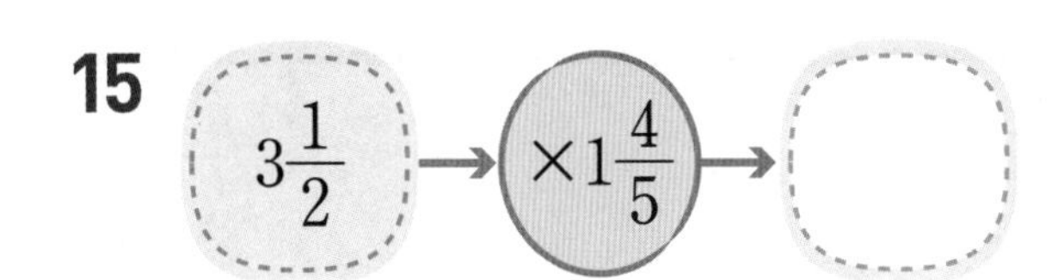

$3\frac{1}{2} \rightarrow \times 1\frac{4}{5} \rightarrow$ ☐

16 $1\frac{1}{3} \rightarrow \times 1\frac{1}{8} \rightarrow$ ☐

17 $4\frac{1}{5} \rightarrow \times 1\frac{1}{7} \rightarrow$ ☐

18 $4\frac{2}{3} \rightarrow \times 1\frac{5}{6} \rightarrow$ ☐

19 $5\frac{5}{6} \rightarrow \times 2\frac{4}{5} \rightarrow$ ☐

20 $1\frac{2}{7} \rightarrow \times 2\frac{1}{3} \rightarrow$ ☐

21 $2\frac{1}{10} \rightarrow \times 2\frac{1}{7} \rightarrow$ ☐

22 $2\frac{11}{12} \rightarrow \times 1\frac{7}{10} \rightarrow$ ☐

23 $2\frac{5}{14} \rightarrow \times 1\frac{1}{11} \rightarrow$ ☐

24 $3\frac{5}{27} \rightarrow \times 2\frac{1}{4} \rightarrow$ ☐

6. (대분수)×(대분수)

계산을 하여 기약분수로 나타내세요.

1 $1\frac{2}{7}\times1\frac{3}{5}$

2 $3\frac{1}{3}\times1\frac{4}{5}$

3 $2\frac{1}{6}\times2\frac{2}{9}$

4 $2\frac{3}{4}\times2\frac{2}{3}$

5 $5\frac{1}{5}\times1\frac{1}{4}$

6 $2\frac{3}{8}\times2\frac{2}{7}$

7 $4\frac{4}{9}\times4\frac{1}{5}$

8 $4\frac{9}{10}\times1\frac{5}{7}$

9 $3\frac{9}{11}\times2\frac{2}{3}$

10 $3\frac{5}{12}\times2\frac{4}{5}$

11 $1\frac{2}{13}\times4\frac{2}{3}$

12 $2\frac{2}{15}\times2\frac{5}{8}$

13 $2\frac{7}{18}\times3\frac{9}{10}$

14 $3\frac{17}{21}\times2\frac{9}{13}$

계산 결과를 찾아 선으로 이으세요.

15

$1\frac{1}{4}\times1\frac{4}{5}$	$2\frac{1}{2}$
$1\frac{3}{4}\times1\frac{1}{2}$	$2\frac{5}{8}$
$1\frac{1}{6}\times2\frac{1}{7}$	$2\frac{1}{4}$

16

$1\frac{1}{2}\times2\frac{2}{9}$	$3\frac{1}{2}$
$1\frac{1}{9}\times3\frac{1}{10}$	$3\frac{1}{3}$
$2\frac{3}{16}\times1\frac{3}{5}$	$3\frac{4}{9}$

17

$2\frac{3}{7}\times3\frac{1}{5}$	$7\frac{27}{35}$
$2\frac{7}{9}\times2\frac{2}{5}$	$7\frac{1}{8}$
$3\frac{4}{5}\times1\frac{7}{8}$	$6\frac{2}{3}$

18

$4\frac{1}{5}\times2\frac{1}{7}$	5
$3\frac{1}{8}\times1\frac{3}{5}$	4
$2\frac{2}{13}\times1\frac{6}{7}$	9

19

$1\frac{5}{6}\times3\frac{1}{3}$	$4\frac{6}{7}$
$3\frac{5}{9}\times1\frac{1}{6}$	$4\frac{4}{27}$
$2\frac{1}{8}\times2\frac{2}{7}$	$6\frac{1}{9}$

20

$3\frac{1}{3}\times2\frac{4}{5}$	$10\frac{5}{8}$
$2\frac{5}{6}\times3\frac{3}{4}$	$9\frac{1}{3}$
$1\frac{5}{18}\times7\frac{1}{2}$	$9\frac{7}{12}$

7. 세 분수의 곱셈

예 $\frac{4}{7}\times\frac{1}{6}\times2\frac{1}{3}$의 계산

방법 1 $\frac{4}{7}\times\frac{1}{6}\times2\frac{1}{3}=\left(\frac{\overset{2}{\cancel{4}}}{7}\times\frac{1}{\underset{3}{\cancel{6}}}\right)\times2\frac{1}{3}=\frac{2}{\underset{3}{\cancel{21}}}\times\frac{\overset{1}{\cancel{7}}}{3}=\frac{2}{9}$ → 두 분수씩 차례로 계산해.

방법 2 $\frac{4}{7}\times\frac{1}{6}\times2\frac{1}{3}=\frac{\overset{2}{\cancel{4}}}{\underset{1}{\cancel{7}}}\times\frac{1}{\underset{3}{\cancel{6}}}\times\frac{\overset{1}{\cancel{7}}}{3}=\frac{2}{9}$ → 세 분수를 한꺼번에 계산해.

두 가지 방법으로 계산하세요.

1 $\frac{1}{4}\times\frac{2}{5}\times\frac{5}{9}$

방법 1 $\frac{1}{4}\times\frac{2}{5}\times\frac{5}{9}=\left(\frac{1}{\underset{2}{\cancel{4}}}\times\frac{\overset{\square}{\cancel{2}}}{5}\right)\times\frac{5}{9}=\frac{\square}{\underset{\square}{\cancel{10}}}\times\frac{\overset{1}{\cancel{5}}}{9}=\frac{\square}{\square}$

방법 2 $\frac{1}{4}\times\frac{2}{5}\times\frac{5}{9}=\frac{1}{\underset{2}{\cancel{4}}}\times\frac{\overset{1}{\cancel{2}}}{\underset{1}{\cancel{5}}}\times\frac{\overset{\square}{\cancel{5}}}{9}=\frac{\square}{\square}$

2 $2\frac{4}{5}\times10\times\frac{6}{7}$

방법 1 $2\frac{4}{5}\times10\times\frac{6}{7}=\left(\frac{14}{\underset{1}{\cancel{5}}}\times\overset{\square}{\cancel{10}}\right)\times\frac{6}{7}=\overset{\square}{\cancel{28}}\times\frac{6}{\underset{1}{\cancel{7}}}=\square$

방법 2 $2\frac{4}{5}\times10\times\frac{6}{7}=\frac{\overset{\square}{\cancel{14}}}{\underset{1}{\cancel{5}}}\times\overset{\square}{\cancel{10}}\times\frac{6}{\underset{1}{\cancel{7}}}=\square$

계산을 하여 기약분수로 나타내세요.

3 $\frac{1}{4}\times\frac{8}{9}\times\frac{5}{11}=\left(\frac{1}{\underset{1}{\cancel{4}}}\times\frac{\overset{\square}{\cancel{8}}}{9}\right)\times\frac{5}{11}=\frac{\square}{\square}\times\frac{5}{11}=\frac{\square}{\square}$

4 $3\frac{2}{5}\times\frac{5}{6}\times\frac{3}{4}=\left(\frac{\square}{\underset{1}{\cancel{5}}}\times\frac{\overset{1}{\cancel{5}}}{6}\right)\times\frac{3}{4}=\frac{\square}{\underset{2}{\cancel{6}}}\times\frac{\overset{\square}{\cancel{3}}}{4}=\frac{\square}{\square}=\square\frac{\square}{8}$

5 $\frac{3}{4}\times2\frac{5}{6}\times\frac{4}{7}=\left(\frac{\overset{\square}{\cancel{3}}}{4}\times\frac{17}{\underset{2}{\cancel{6}}}\right)\times\frac{4}{7}=\frac{\square}{\underset{2}{\cancel{8}}}\times\frac{\overset{\square}{\cancel{4}}}{7}=\frac{\square}{\square}=\square\frac{\square}{14}$

6 $\frac{5}{8}\times\frac{4}{9}\times2\frac{1}{13}=\frac{5}{\underset{2}{\cancel{8}}}\times\frac{\overset{1}{\cancel{4}}}{\underset{\square}{\cancel{9}}}\times\frac{\overset{\square}{\cancel{27}}}{13}=\frac{\square}{\square}$

7 $1\frac{2}{3}\times3\frac{6}{7}\times\frac{1}{5}=\frac{\overset{1}{\cancel{5}}}{\underset{\square}{\cancel{3}}}\times\frac{\overset{\square}{\cancel{27}}}{7}\times\frac{1}{\underset{1}{\cancel{5}}}=\frac{\square}{7}=\square\frac{\square}{7}$

8 $4\frac{1}{6}\times1\frac{5}{9}\times\frac{9}{10}=\frac{\overset{5}{\cancel{25}}}{\underset{3}{\cancel{6}}}\times\frac{\overset{\square}{\cancel{14}}}{\underset{1}{\cancel{9}}}\times\frac{\overset{1}{\cancel{9}}}{\underset{\square}{\cancel{10}}}=\frac{\square}{6}=\square\frac{\square}{6}$

3단계 분수의 곱셈

7. 세 분수의 곱셈

계산을 하여 기약분수로 나타내세요.

1 $\frac{1}{3}\times\frac{1}{7}\times\frac{1}{2}$

2 $\frac{1}{9}\times\frac{1}{5}\times\frac{1}{4}$

3 $\frac{2}{3}\times\frac{1}{4}\times\frac{9}{10}$

4 $\frac{3}{4}\times\frac{5}{6}\times\frac{1}{5}$

5 $\frac{4}{5}\times\frac{7}{8}\times\frac{5}{9}$

6 $\frac{7}{12}\times\frac{10}{11}\times\frac{3}{14}$

7 $\frac{5}{6}\times3\times\frac{4}{15}$

8 $6\times\frac{11}{12}\times\frac{4}{5}$

9 $\frac{5}{16}\times2\frac{2}{9}\times\frac{8}{15}$

10 $1\frac{2}{3}\times\frac{1}{10}\times\frac{6}{7}$

11 $5\frac{1}{5}\times\frac{3}{4}\times\frac{10}{13}$

12 $\frac{6}{7}\times\frac{4}{15}\times6\frac{2}{3}$

13 $3\frac{1}{3}\times\frac{9}{10}\times1\frac{3}{4}$

14 $3\frac{3}{7}\times2\frac{3}{4}\times\frac{5}{6}$

계산을 하여 기약분수로 나타내세요.

15

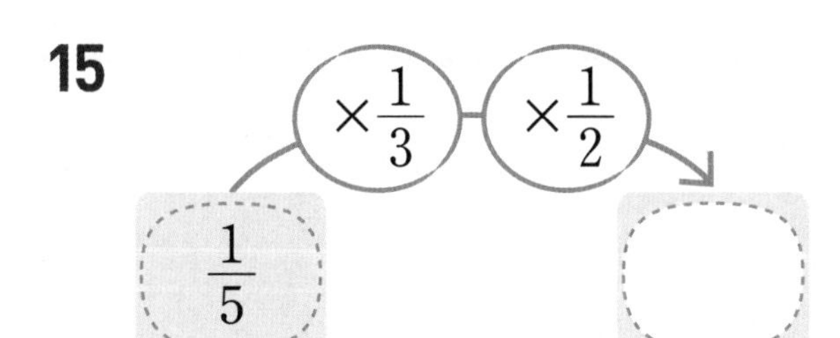

16

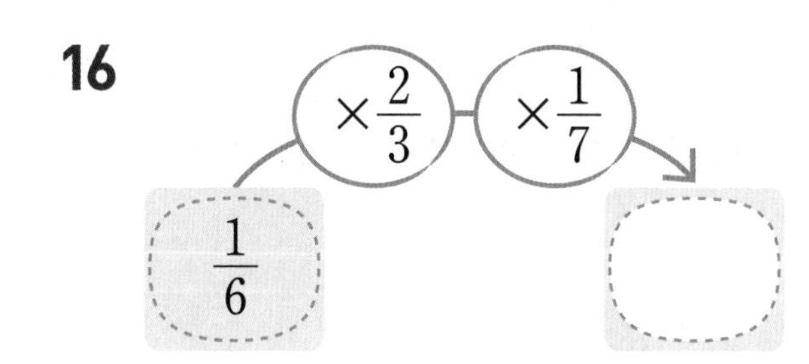

17

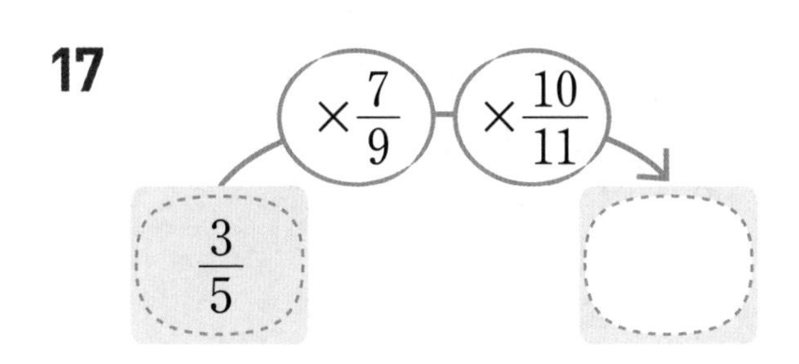

18

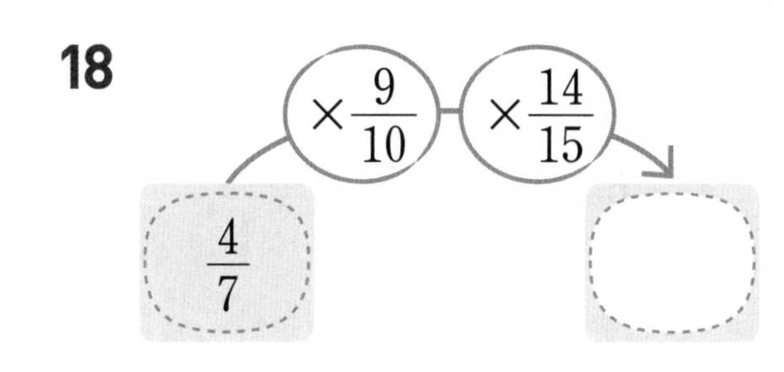

19

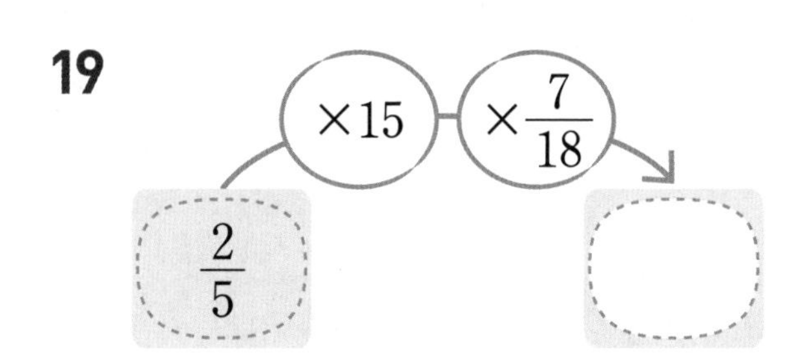

20

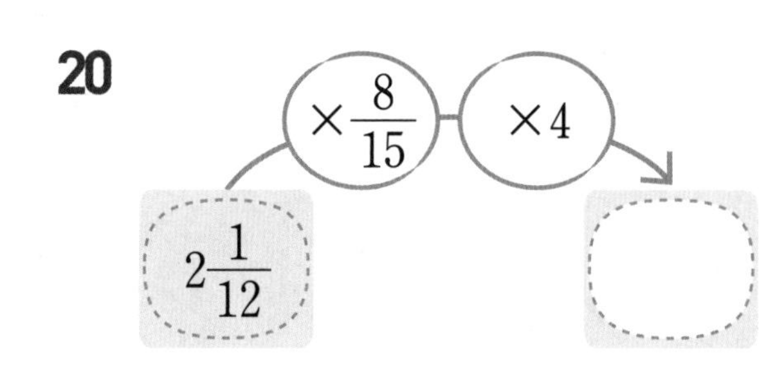

21

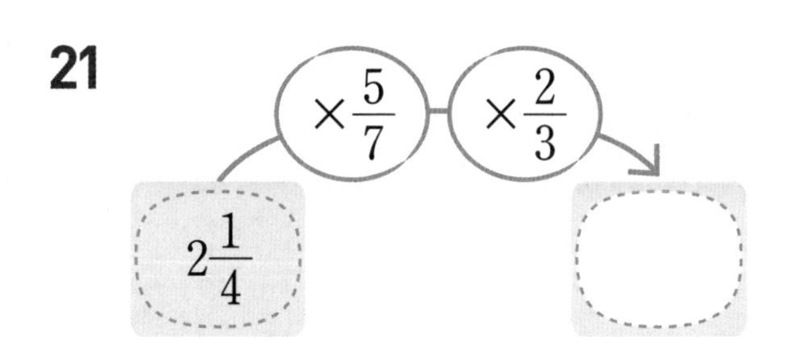

22

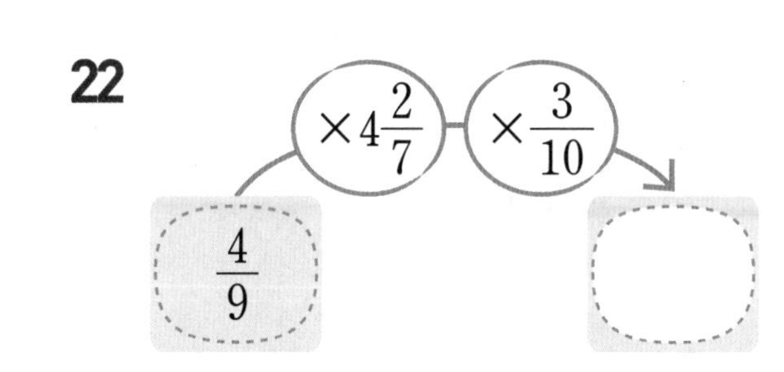

23

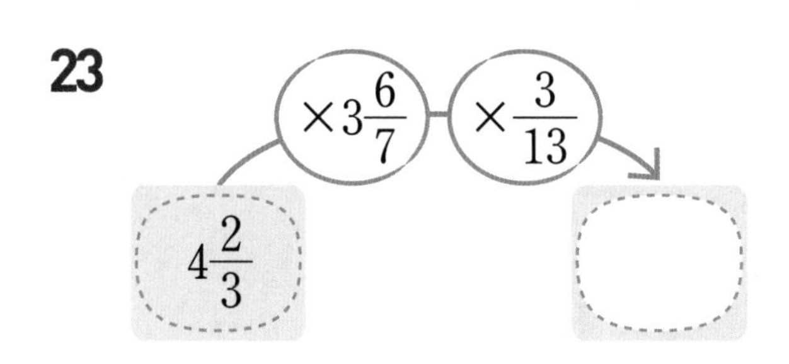

24

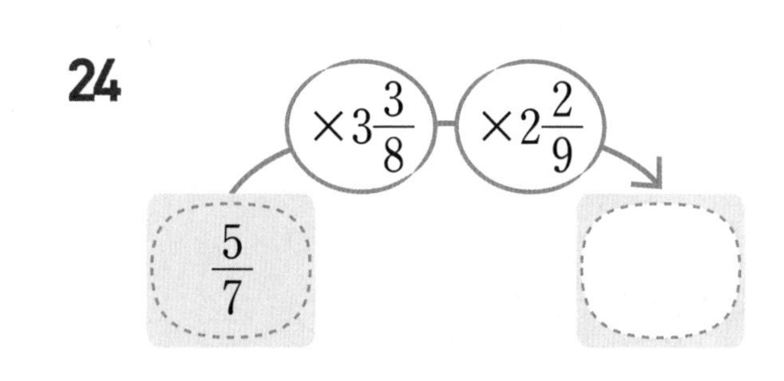

3단계 분수의 곱셈

7. 세 분수의 곱셈

계산을 하여 기약분수로 나타내세요.

1 $\frac{1}{4}\times\frac{1}{8}\times\frac{1}{3}$

2 $\frac{1}{5}\times\frac{3}{7}\times\frac{1}{6}$

3 $\frac{3}{4}\times\frac{5}{6}\times\frac{8}{9}$

4 $\frac{1}{6}\times\frac{7}{9}\times\frac{4}{21}$

5 $\frac{3}{8}\times\frac{7}{12}\times\frac{4}{9}$

6 $\frac{5}{18}\times\frac{4}{15}\times\frac{3}{7}$

7 $\frac{8}{9}\times6\times\frac{5}{12}$

8 $2\times\frac{8}{9}\times5\frac{1}{4}$

9 $2\frac{1}{2}\times\frac{5}{9}\times\frac{7}{10}$

10 $\frac{4}{5}\times3\frac{1}{3}\times\frac{7}{12}$

11 $\frac{11}{14}\times5\frac{3}{5}\times\frac{3}{22}$

12 $7\frac{1}{2}\times2\frac{2}{5}\times\frac{3}{11}$

13 $1\frac{4}{5}\times\frac{7}{18}\times3\frac{3}{4}$

14 $1\frac{1}{9}\times\frac{15}{16}\times1\frac{1}{10}$

공부한 날 월 일

계산을 하여 기약분수로 나타내세요.

15 $\frac{1}{3} \times \frac{1}{4} \times \frac{5}{6}$

16 $\frac{2}{7} \times \frac{1}{5} \times \frac{1}{8}$

17 $\frac{3}{7} \times \frac{2}{3} \times \frac{5}{6}$

18 $\frac{5}{18} \times \frac{6}{7} \times \frac{7}{10}$

19 $\frac{2}{9} \times \frac{5}{8} \times 6$

20 $6\frac{2}{3} \times 4 \times \frac{2}{15}$

21 $2\frac{1}{2} \times \frac{5}{7} \times \frac{9}{10}$

22 $\frac{11}{12} \times 1\frac{3}{5} \times \frac{2}{3}$

23 $2\frac{1}{7} \times 1\frac{2}{3} \times \frac{14}{15}$

24 $1\frac{7}{9} \times \frac{3}{8} \times \frac{3}{11}$

DAY 29

3단계 분수의 곱셈

7. 세 분수의 곱셈

계산을 하여 기약분수로 나타내세요.

1 $\frac{1}{3}\times\frac{3}{5}\times\frac{1}{6}$

2 $\frac{4}{7}\times\frac{1}{2}\times\frac{1}{4}$

3 $\frac{2}{3}\times\frac{4}{5}\times\frac{1}{8}$

4 $\frac{2}{5}\times\frac{7}{9}\times\frac{5}{8}$

5 $\frac{2}{7}\times\frac{5}{6}\times\frac{3}{4}$

6 $\frac{7}{9}\times\frac{3}{10}\times\frac{5}{14}$

7 $\frac{5}{8}\times\frac{3}{14}\times\frac{24}{25}$

8 $1\frac{7}{9}\times\frac{5}{16}\times\frac{3}{4}$

9 $\frac{4}{5}\times\frac{3}{10}\times2\frac{6}{7}$

10 $3\frac{5}{9}\times\frac{6}{7}\times\frac{7}{12}$

11 $\frac{5}{8}\times1\frac{5}{9}\times2\frac{2}{7}$

12 $3\frac{3}{4}\times2\frac{6}{7}\times\frac{3}{5}$

13 $1\frac{13}{14}\times1\frac{2}{3}\times\frac{4}{5}$

14 $\frac{13}{20}\times3\frac{3}{4}\times2\frac{2}{9}$

계산을 하여 기약분수로 나타내세요.

15 $\frac{8}{15}$
- $\times\frac{3}{7}$ → $\times\frac{1}{4}$ → ☐
- $\times\frac{5}{11}$ → $\times\frac{11}{12}$ → ☐

16 $\frac{3}{10}$
- $\times\frac{2}{5}$ → $\times\frac{5}{6}$ → ☐
- $\times\frac{5}{9}$ → $\times\frac{6}{13}$ → ☐

17 $\frac{5}{9}$
- $\times\frac{2}{15}$ → $\times1\frac{1}{2}$ → ☐
- $\times3\frac{3}{5}$ → $\times\frac{3}{4}$ → ☐

18 $\frac{9}{14}$
- $\times1\frac{3}{4}$ → $\times\frac{5}{6}$ → ☐
- $\times\frac{5}{18}$ → $\times1\frac{2}{5}$ → ☐

19 $2\frac{2}{15}$
- $\times\frac{3}{4}$ → $\times1\frac{7}{8}$ → ☐
- $\times\frac{5}{16}$ → $\times2\frac{1}{10}$ → ☐

20 $3\frac{8}{9}$
- $\times1\frac{4}{5}$ → $\times\frac{3}{14}$ → ☐
- $\times\frac{8}{21}$ → $\times1\frac{1}{5}$ → ☐

생활 속 연산

끈이 $2\frac{4}{5}$ m 있었습니다. 끈의 $\frac{4}{7}$ 만큼을 잘라 그중 $\frac{1}{8}$로 리본을 만들었다면 리본을 만드는 데 사용한 끈은 몇 m인지 구하세요.

(   )

DAY 30

3단계 분수의 곱셈

마무리 연산

계산을 하여 기약분수로 나타내세요.

1 $\frac{3}{4}\times6$

2 $\frac{5}{8}\times12$

3 $\frac{7}{9}\times12$

4 $\frac{9}{10}\times7$

5 $\frac{5}{12}\times10$

6 $\frac{9}{16}\times20$

7 $1\frac{2}{3}\times5$

8 $1\frac{4}{5}\times2$

9 $3\frac{5}{9}\times6$

10 $1\frac{7}{12}\times8$

11 $2\frac{17}{18}\times4$

12 $3\frac{9}{20}\times3$

13 $2\frac{10}{21}\times7$

14 $2\frac{13}{25}\times10$

계산을 하여 기약분수로 나타내세요.

15 $7\times\frac{3}{4}$

16 $15\times\frac{5}{6}$

17 $14\times\frac{3}{8}$

18 $21\times\frac{5}{9}$

19 $28\times\frac{5}{16}$

20 $20\times\frac{11}{24}$

21 $6\times2\frac{2}{3}$

22 $4\times2\frac{5}{6}$

23 $10\times1\frac{7}{8}$

24 $5\times2\frac{3}{10}$

25 $4\times2\frac{5}{12}$

26 $5\times3\frac{11}{15}$

27 $3\times3\frac{5}{18}$

28 $12\times2\frac{13}{16}$

DAY 31

3단계 분수의 곱셈

마무리 연산

계산을 하여 기약분수로 나타내세요.

1 $\frac{1}{3}\times\frac{1}{4}$

2 $\frac{1}{6}\times\frac{1}{5}$

3 $\frac{2}{5}\times\frac{1}{8}$

4 $\frac{3}{4}\times\frac{5}{9}$

5 $\frac{4}{7}\times\frac{5}{6}$

6 $\frac{7}{12}\times\frac{10}{21}$

7 $1\frac{1}{3}\times1\frac{1}{8}$

8 $4\frac{1}{2}\times2\frac{2}{3}$

9 $3\frac{1}{5}\times3\frac{4}{7}$

10 $3\frac{1}{8}\times2\frac{2}{5}$

11 $2\frac{8}{9}\times2\frac{1}{2}$

12 $2\frac{2}{15}\times1\frac{3}{8}$

13 $3\frac{15}{17}\times3\frac{1}{2}$

14 $4\frac{19}{24}\times2\frac{4}{5}$

계산을 하여 기약분수로 나타내세요.

15 $\frac{1}{2}\times\frac{1}{7}\times\frac{1}{4}$

16 $\frac{1}{5}\times\frac{1}{4}\times\frac{1}{3}$

17 $\frac{2}{3}\times\frac{4}{5}\times\frac{1}{6}$

18 $\frac{3}{8}\times\frac{3}{4}\times\frac{7}{9}$

19 $\frac{4}{9}\times\frac{7}{12}\times\frac{3}{14}$

20 $\frac{5}{6}\times\frac{3}{4}\times\frac{7}{10}$

21 $\frac{7}{9}\times\frac{3}{10}\times\frac{5}{14}$

22 $2\frac{2}{5}\times\frac{3}{4}\times2$

23 $\frac{4}{5}\times\frac{3}{10}\times2\frac{6}{7}$

24 $4\frac{1}{2}\times\frac{5}{6}\times1\frac{3}{4}$

25 $1\frac{3}{7}\times\frac{8}{15}\times2\frac{21}{32}$

26 $3\frac{3}{4}\times2\frac{6}{7}\times\frac{4}{5}$

27 $2\frac{7}{12}\times\frac{4}{15}\times1\frac{1}{2}$

28 $3\frac{1}{3}\times1\frac{9}{10}\times4\frac{1}{6}$

소수의 곱셈

학습 결과와 시간을 써 보세요!

학습 내용	학습 회차	맞힌 개수/걸린 시간
1. (소수)×(자연수)	DAY 01	/
	DAY 02	/
	DAY 03	/
	DAY 04	/
2. (자연수)×(소수)	DAY 05	/
	DAY 06	/
	DAY 07	/
	DAY 08	/
3. (소수)×(소수)	DAY 09	/
	DAY 10	/
	DAY 11	/
	DAY 12	/
	DAY 13	/
	DAY 14	/
4. 곱의 소수점 위치	DAY 15	/
	DAY 16	/
	DAY 17	/
마무리 연산	DAY 18	/
	DAY 19	/

1. (소수)×(자연수)

예 0.54×3의 계산

소수를 분수로 나타내어 계산해.

방법1 $0.54\times3=\frac{54}{100}\times3=\frac{162}{100}=1.62$

방법2

$$\begin{array}{r} 0.5\,4 \\ \times\quad 3 \\ \hline \end{array} \rightarrow \begin{array}{r} 5\,4 \\ \times\quad 3 \\ \hline 1\,6\,2 \end{array} \rightarrow \begin{array}{r} 0.5\,4 \\ \times\quad 3 \\ \hline 1.6\,2 \end{array}$$

곱해지는 수의 소수점의 위치에 맞추어 소수점을 찍어.

계산을 하세요.

1 $0.7\times4=\frac{\boxed{7}}{10}\times4=\frac{\boxed{28}}{10}=\boxed{2.8}$

2 $0.9\times6=\frac{\square}{10}\times6=\frac{\square}{10}=\square$

3 $0.5\times7=\frac{\square}{10}\times7=\frac{\square}{10}=\square$

4 $0.8\times9=\frac{\square}{10}\times9=\frac{\square}{10}=\square$

5 $0.23\times4=\frac{\square}{100}\times4=\frac{\square}{100}$
$=\square$

6 $0.35\times9=\frac{\square}{100}\times9=\frac{\square}{100}$
$=\square$

7 $0.57\times3=\frac{\square}{100}\times3=\frac{\square}{100}$
$=\square$

8 $0.63\times7=\frac{\square}{100}\times7=\frac{\square}{100}$
$=\square$

계산을 하세요.

9

	0.	7
×		8

10

	0.	4
×		9

11

	0.	7
×		6

12

	0.	6
×		8

13

	0.	8
×		4

14

	0.	9
×		7

15

	0.	3	6
×			2

16

	0.	2	7
×			3

17

	0.	1	9
×			8

18

	0.	4	3
×			6

19

	0.	7	8
×			9

20

	0.	6	3
×			6

21

	0.	5	7
×		1	4

22

	0.	4	5
×		2	3

23

	0.	3	8
×		2	7

1. (소수)×(자연수)

계산을 하세요.

(1보다 큰 소수)×(자연수)도 자연수의 곱셈과 같이 계산한 후 곱해지는 수의 소수점 위치에 맞추어 곱의 결과에 소수점을 찍어.

1 1.3×3

2 2.5×5

3 3.1×6

4 3.7×5

5 4.7×3

6 5.3×5

7 7.4×8

8 6.2×7

9 8.3×8

10 1.26×3

11 2.49×2

12 3.46×3

13 4.76×8

14 5.32×9

15 6.27×4

계산을 하세요.

16 1.5×3

(　　　　　)

17 1.02×2

(　　　　　)

18 2.4×8

(　　　　　)

19 2.68×7

(　　　　　)

20 3.7×5

(　　　　　)

21 4.21×4

(　　　　　)

22 4.6×6

(　　　　　)

23 5.37×8

(　　　　　)

24 6.8×13

(　　　　　)

25 7.81×12

(　　　　　)

DAY 03

4단계 소수의 곱셈

1. (소수)×(자연수)

계산을 하세요.

1 0.4×4

2 0.9×5

3 2.3×4

4 4.5×5

5 5.7×8

6 7.2×12

7 0.24×3

8 0.52×4

9 0.63×6

10 0.81×7

11 1.04×9

12 3.29×4

13 5.27×5

14 7.15×11

두 수의 곱을 구하세요.

15

16

17

18

19

20

21

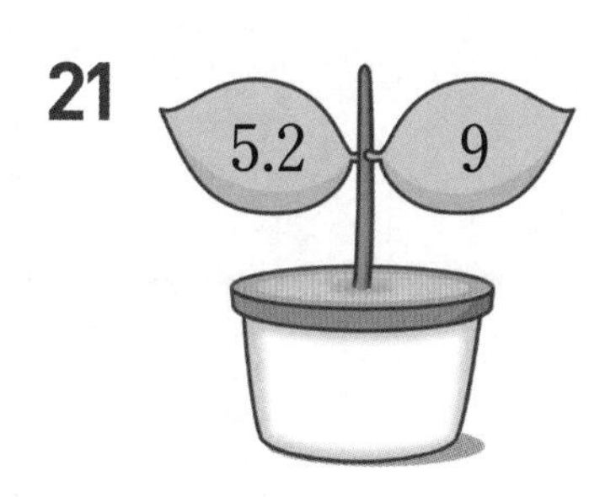

22

23

24

1. (소수)×(자연수)

계산을 하세요.

1 0.8×5

2 0.9×6

3 3.4×4

4 2.3×9

5 3.4×8

6 5.7×5

7 0.35×6

8 0.63×4

9 3.07×5

10 4.73×7

11 6.32×10

12 7.17×13

13 8.37×12

14 9.07×15

빈 곳에 알맞은 수를 써넣으세요.

15

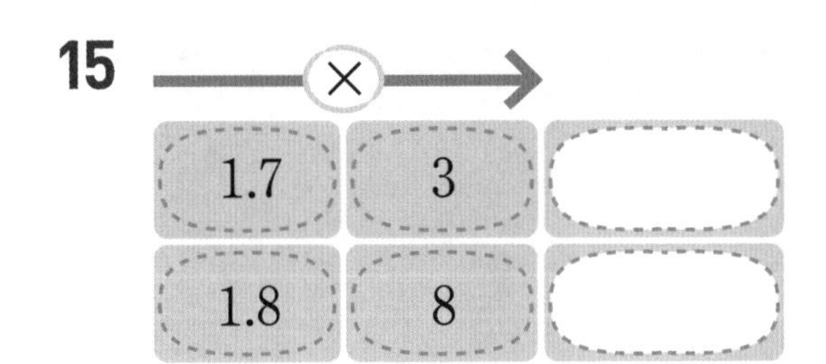

16

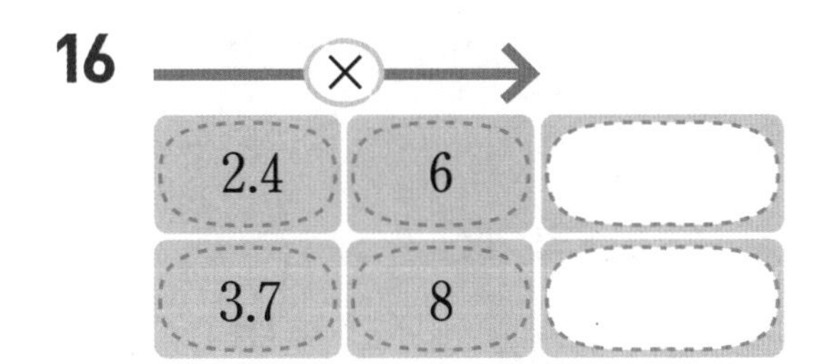

17

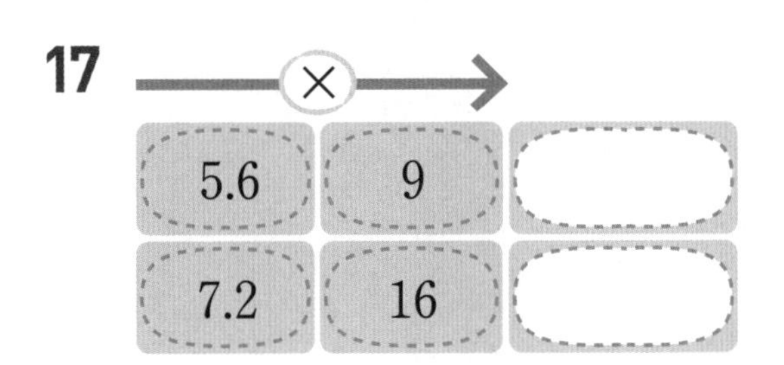

18

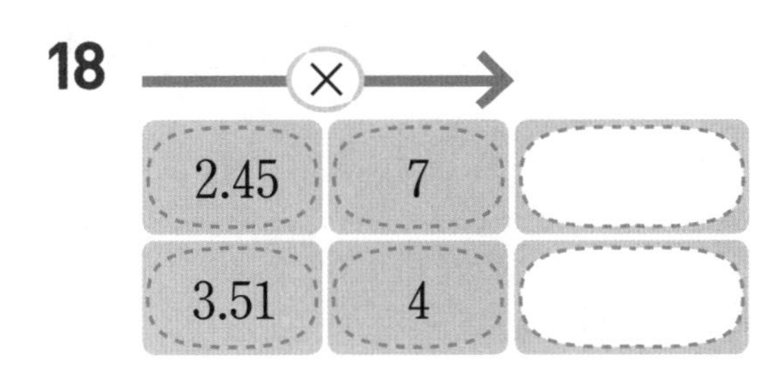

19

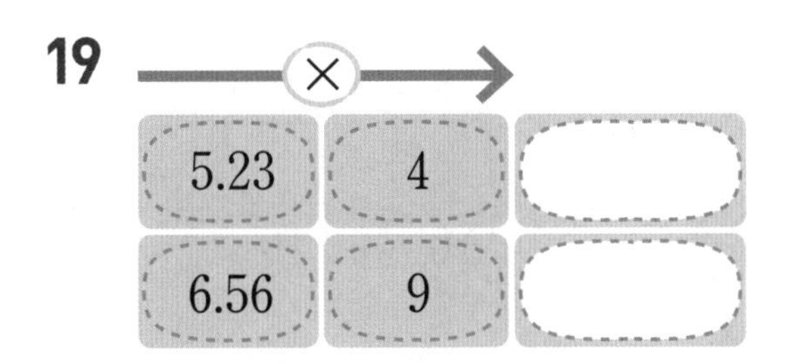

20

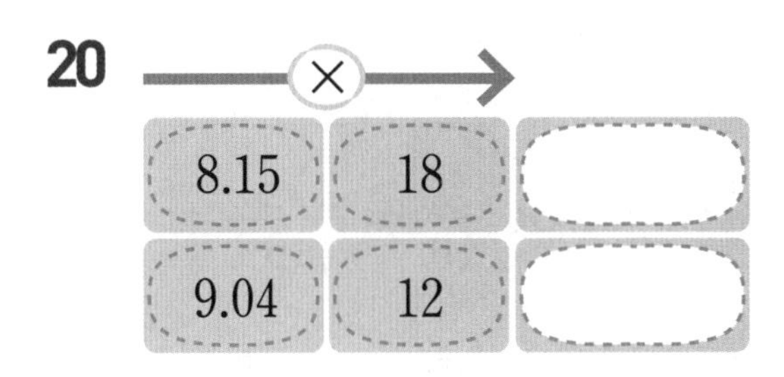

생활 속 연산

현서가 오늘 우리나라 돈과 미국 돈의 환율을 조사했습니다. 우리나라 돈 5000원은 미국 돈으로 몇 달러인지 구하세요.

오늘은 우리나라 돈 1000원이 미국 돈 0.87달러라고 해.

( )

4단계 소수의 곱셈

2. (자연수)×(소수)

예 7×0.18의 계산

방법 1 $7\times0.18=7\times\frac{18}{100}=\frac{126}{100}=1.26$

소수를 분수로 나타내어 계산해.

방법 2

$$\begin{array}{r} 7 \\ \times\ 0.1\ 8 \\ \hline \end{array} \rightarrow \begin{array}{r} 7 \\ \times\ \ 1\ 8 \\ \hline 1\ 2\ 6 \end{array} \rightarrow \begin{array}{r} 7 \\ \times\ 0.1\ 8 \\ \hline 1.2\ 6 \end{array}$$

곱하는 수의 소수점의 위치에 맞추어 소수점을 찍어.

계산을 하세요.

1 $3\times0.9=3\times\frac{9}{10}=\frac{27}{10}=2.7$

2 $4\times0.6=4\times\frac{\square}{10}=\frac{\square}{10}=\square$

3 $5\times0.9=5\times\frac{\square}{10}=\frac{\square}{10}=\square$

4 $8\times0.8=8\times\frac{\square}{10}=\frac{\square}{10}=\square$

5 $6\times0.23=6\times\frac{\square}{100}=\frac{\square}{100}$
$=\square$

6 $7\times0.32=7\times\frac{\square}{100}=\frac{\square}{100}$
$=\square$

7 $8\times0.47=8\times\frac{\square}{100}=\frac{\square}{100}$
$=\square$

8 $9\times0.54=9\times\frac{\square}{100}=\frac{\square}{100}$
$=\square$

계산을 하세요.

9
		3
×	0.	7

10
		4
×	0.	3

11
		6
×	0.	4

12
		5
×	0.	8

소수점 아래 마지막 0은 생략할 수 있어.

13
		9
×	0.	6

14
	1	3
×	0.	4

15
			2
×	0.	0	9

16
			4
×	0.	0	4

17
			7
×	0.	0	9

18
			4
×	0.	2	3

19
			3
×	0.	2	7

20
			6
×	0.	6	9

21
		1	1
×	0.	3	6

22
		1	5
×	0.	4	3

23
		2	1
×	0.	6	7

4단계 소수의 곱셈

2. (자연수)×(소수)

계산을 하세요.

(자연수)×(1보다 큰 소수)도 자연수의 곱셈과 같이 계산한 후 곱하는 수의 소수점 위치에 맞추어 곱의 결과에 소수점을 찍어.

1

		2
×	1.	9

2

		3
×	2.	3

3

		4
×	2.	1

4

		5
×	3.	7

5

		6
×	4.	8

6

		3
×	5.	4

7

		7
×	6.	1

8

		5
×	7.	3

9

		8
×	7.	5

10

			2
×	1.	2	3

11

			4
×	2.	1	6

12

			3
×	2.	4	7

13

			6
×	3.	2	8

14

			5
×	4.	1	9

15

			7
×	5.	0	3

공부한 날 월 일

계산을 하세요.

16

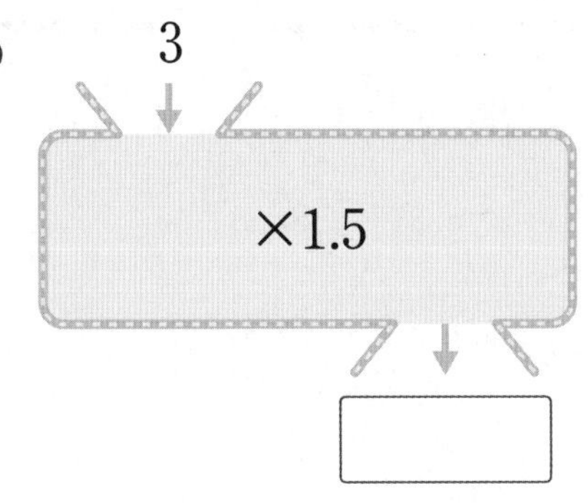

17

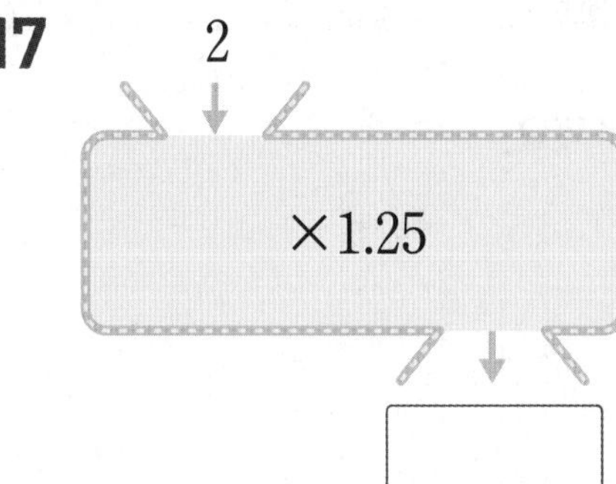

18

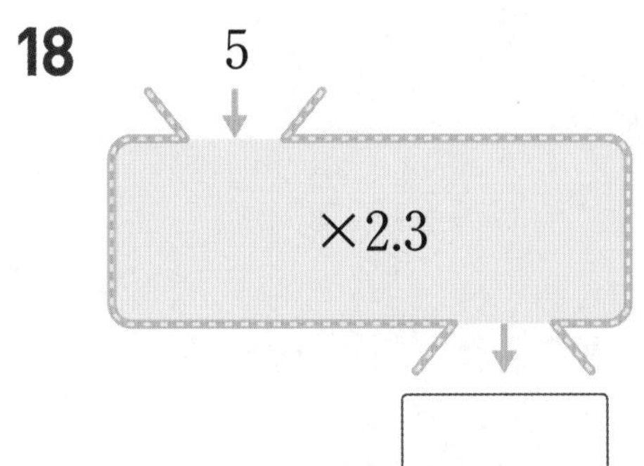

19

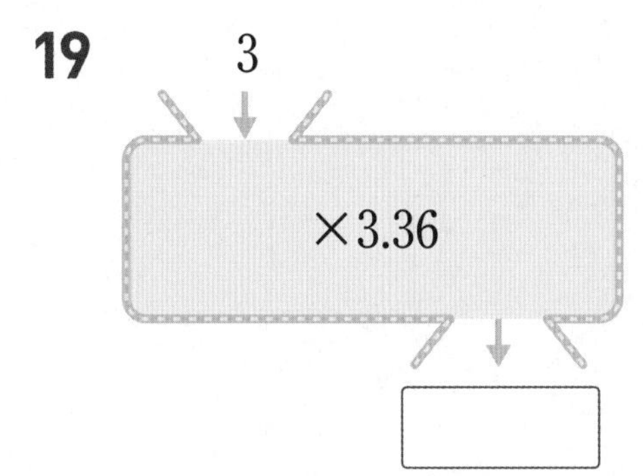

20

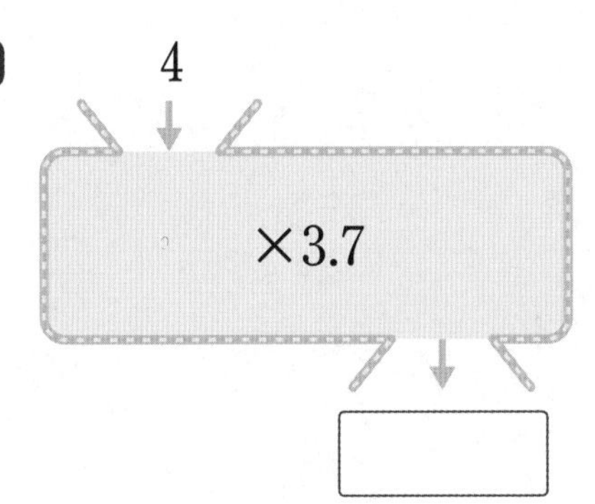

21

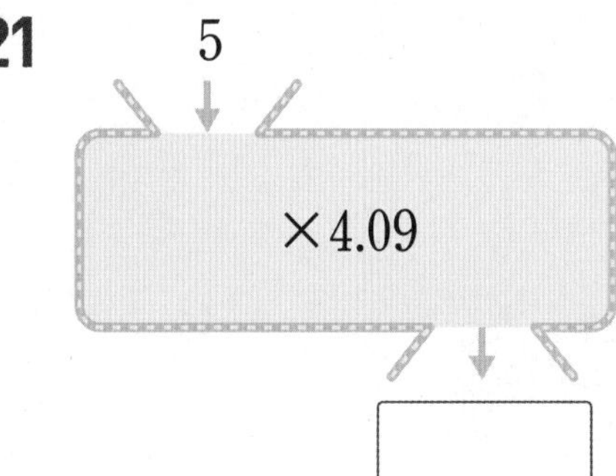

22

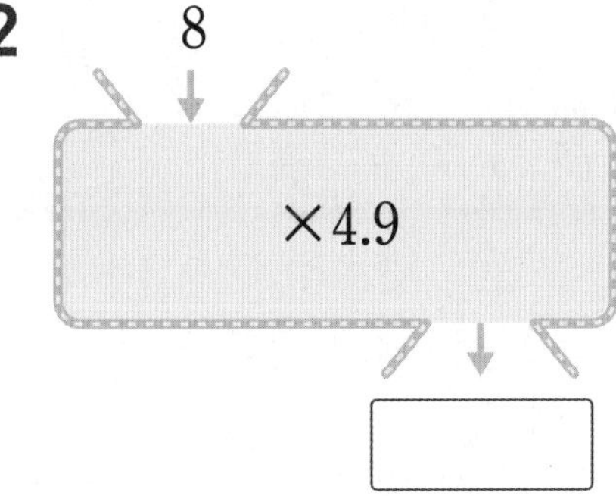

23

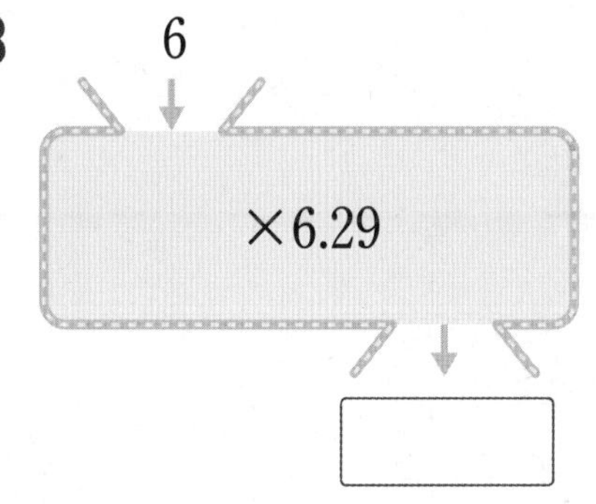

24

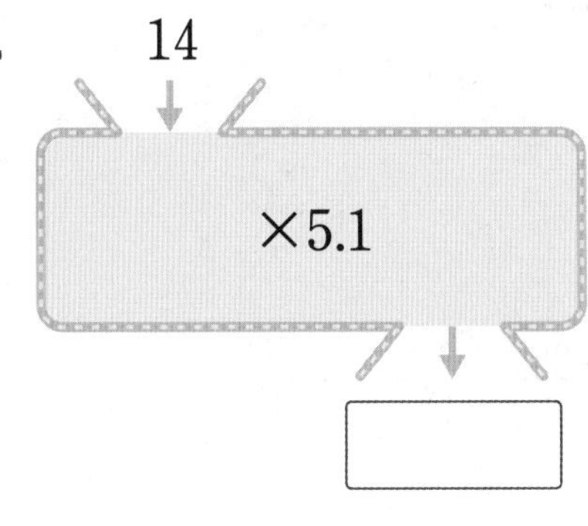

25

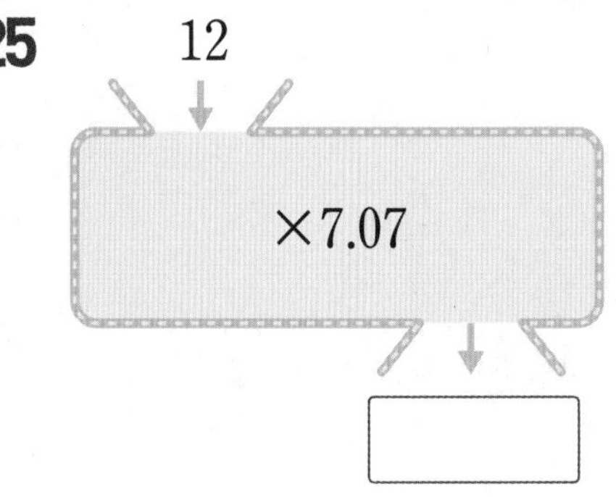

2. (자연수)×(소수)

계산을 하세요.

1 2×0.4

2 7×0.7

3 3×2.5

4 6×1.8

5 5×5.9

6 8×7.3

7 4×0.26

8 6×0.34

9 5×0.46

10 3×0.77

11 7×1.29

12 8×2.64

13 4×8.53

14 13×5.12

두 수의 곱을 구하세요.

15

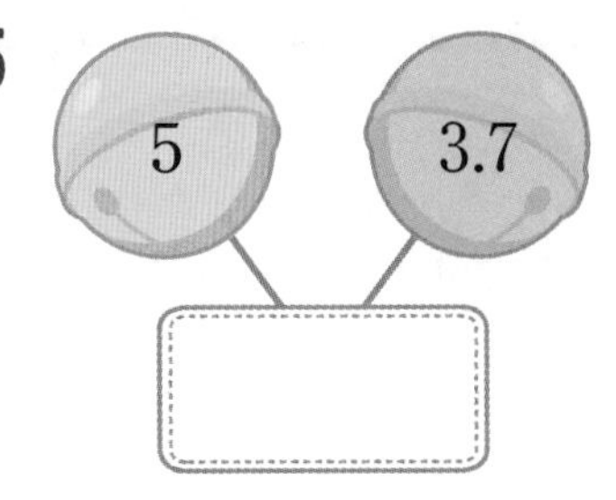

16

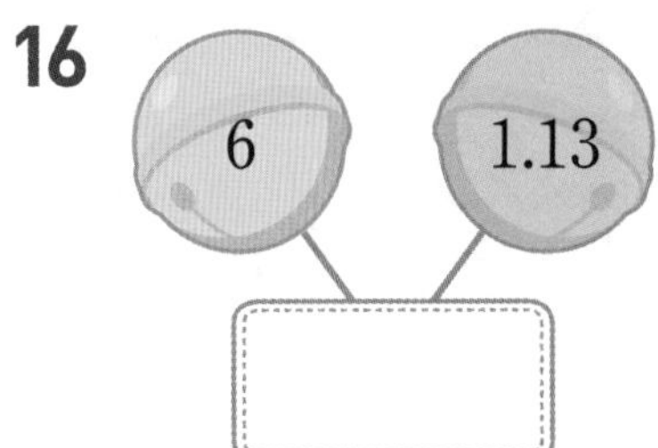

17

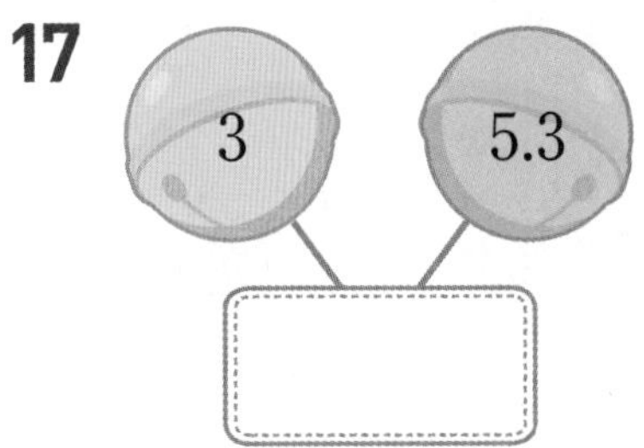

18

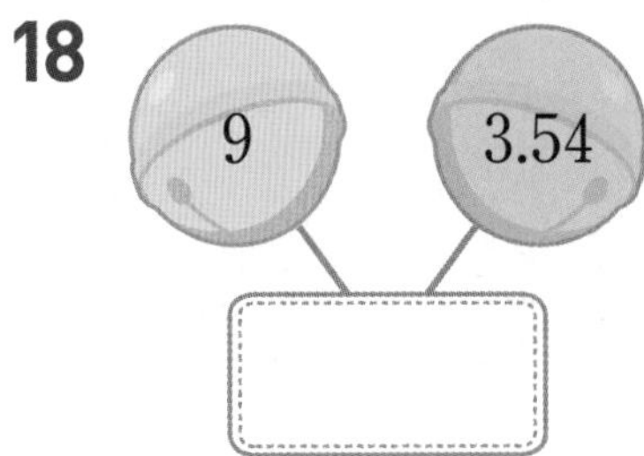

19

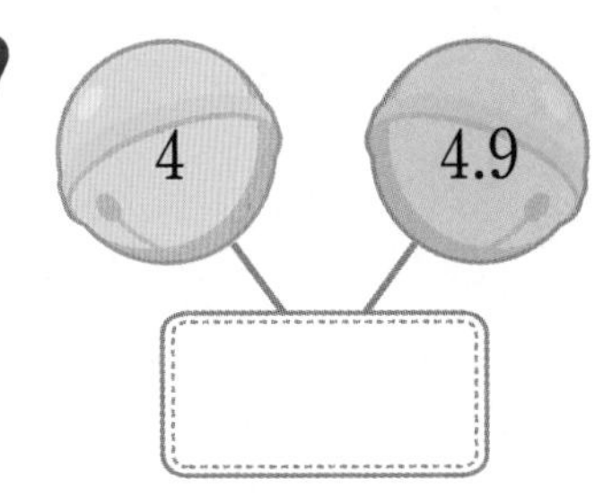

20

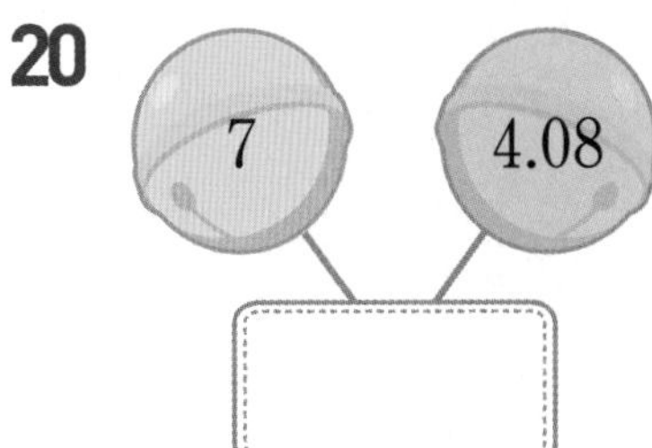

21

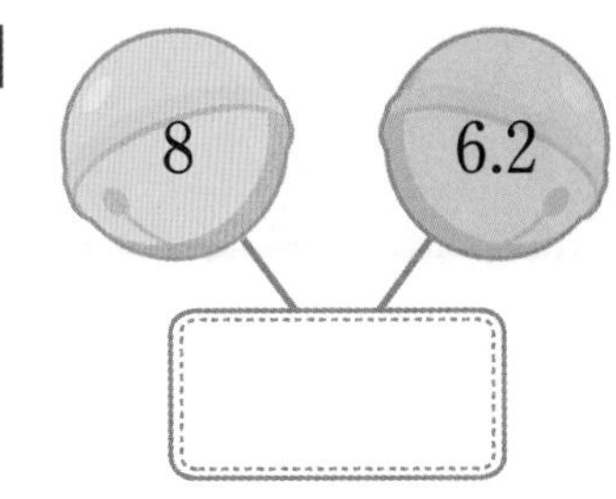

22

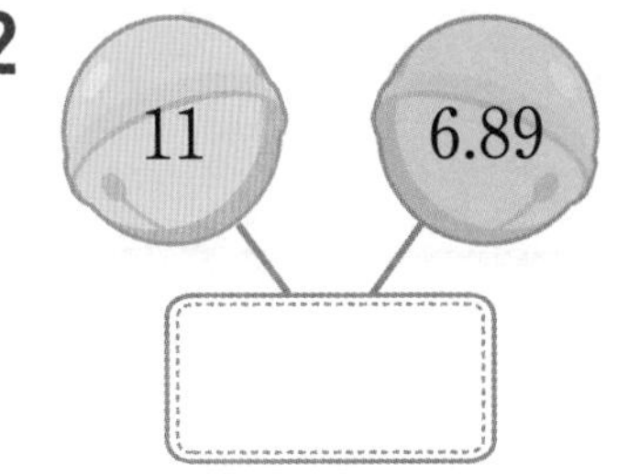

23

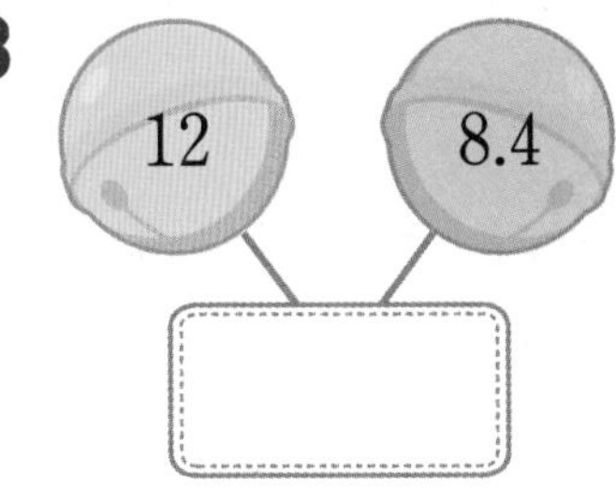

24

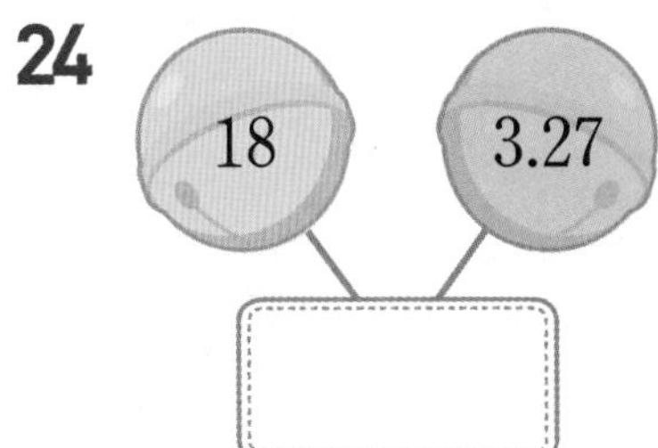

2. (자연수)×(소수)

계산을 하세요.

1 6×0.3

2 7×0.4

3 5×1.4

4 4×3.9

5 8×6.2

6 2×8.6

7 14×5.2

8 22×9.5

9 5×0.32

10 3×0.64

11 7×1.26

12 9×2.43

13 15×3.73

14 13×6.04

15 12×7.73

16 11×9.81

계산을 하세요.

17

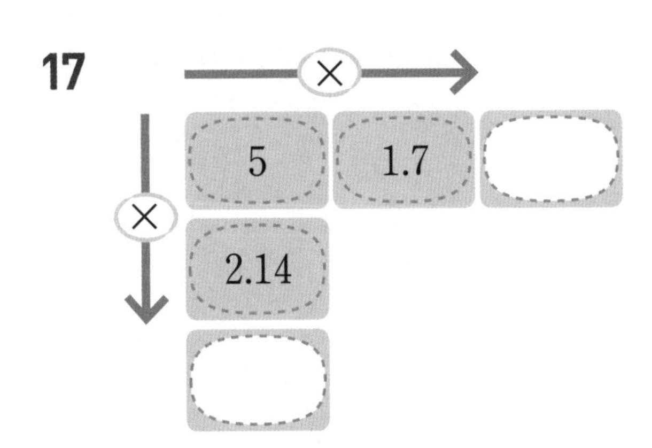

18

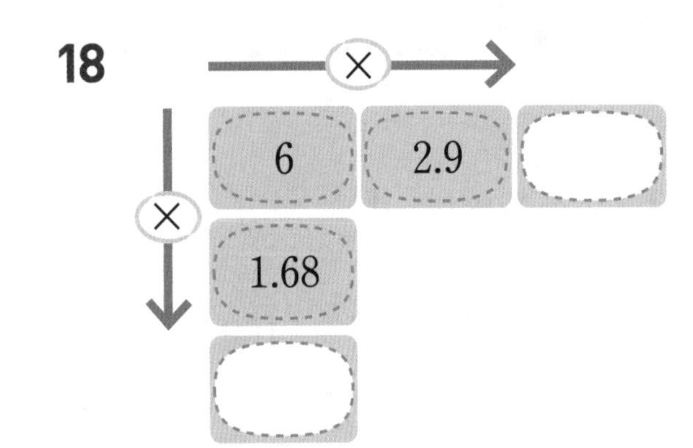

19

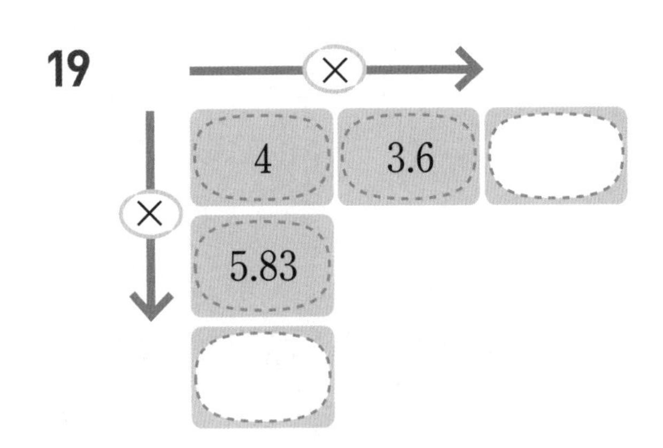

20

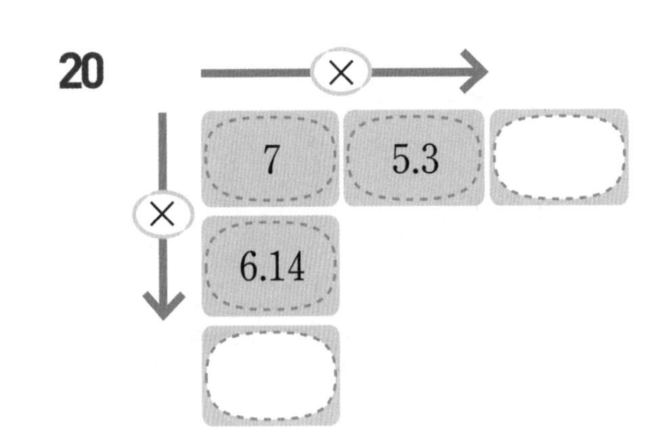

21

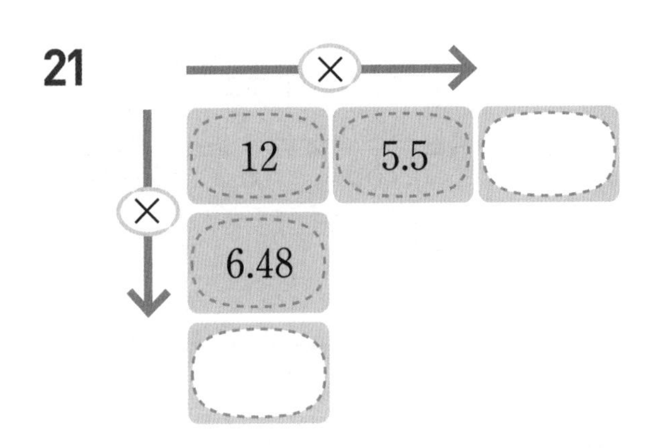

22

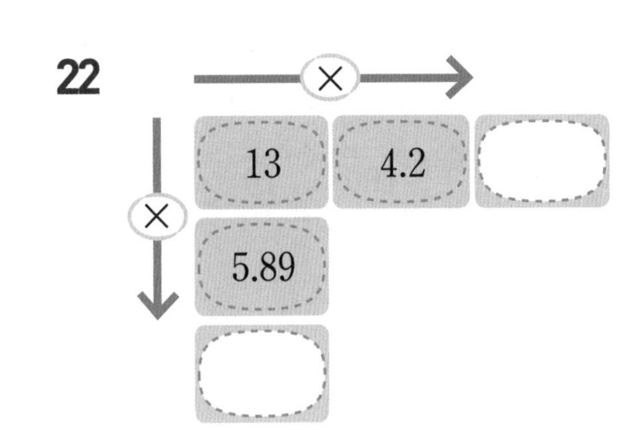

생활 속 연산

아린이와 준서의 대화를 읽고, 준서가 금성에서 몸무게를 잰다면 약 몇 kg인지 구하세요.

아린

금성에서 잰 몸무게는 지구에서 잰 몸무게의 약 0.91배라고 해.

내 몸무게는 45 kg인데 금성에서 재면 약 몇 kg일까?

준서

약 (　　　　　　　　)

3. (소수)×(소수)

예 0.23×0.4의 계산

방법 1 $0.23\times0.4=\frac{23}{100}\times\frac{4}{10}=\frac{92}{1000}=0.092$

방법 2

$$\begin{array}{r} 0.2\ 3 \\ \times\quad 0.4 \\ \hline \end{array} \rightarrow \begin{array}{r} 2\ 3 \\ \times\quad 4 \\ \hline 9\ 2 \end{array} \rightarrow \begin{array}{r} 0.2\ 3 \\ \times\quad 0.4 \\ \hline 0.0\ 9\ 2 \end{array}$$

0.23 ← 소수 두 자리 수
0.4 ← 소수 한 자리 수
0.092 ← 소수 세 자리 수

계산을 하세요.

1 $0.4\times0.7=\frac{4}{10}\times\frac{7}{10}=\frac{28}{100}$ $=0.28$

2 $0.5\times0.3=\frac{\square}{10}\times\frac{\square}{10}=\frac{\square}{100}$ $=\square$

3 $0.08\times0.4=\frac{\square}{100}\times\frac{\square}{10}=\frac{\square}{1000}$ $=\square$

4 $0.04\times0.6=\frac{\square}{100}\times\frac{\square}{10}=\frac{\square}{1000}$ $=\square$

5 $0.07\times0.8=\frac{\square}{100}\times\frac{\square}{10}=\frac{\square}{1000}$ $=\square$

6 $0.3\times0.09=\frac{\square}{10}\times\frac{\square}{100}=\frac{\square}{1000}$ $=\square$

7 $0.6\times0.08=\frac{\square}{10}\times\frac{\square}{100}=\frac{\square}{1000}$ $=\square$

8 $0.7\times0.06=\frac{\square}{10}\times\frac{\square}{100}=\frac{\square}{1000}$ $=\square$

계산을 하세요.

곱하는 두 소수의 소수점 아래 자리 수의 합만큼 소수점을 왼쪽으로 옮겨 찍어.

9

	0.	3
×	0.	8

10

	0.	2
×	0.	9

11

	0.	6
×	0.	7

12

	0.	4
×	0.	3

13

	0.	5
×	0.	5

14

	0.	7
×	0.	9

15

	0.	0	3
×		0.	4

16

	0.	0	6
×		0.	4

17

	0.	0	8
×		0.	8

18

	0.	0	2
×		0.	8

19

	0.	0	5
×		0.	9

20

	0.	0	3
×		0.	7

21

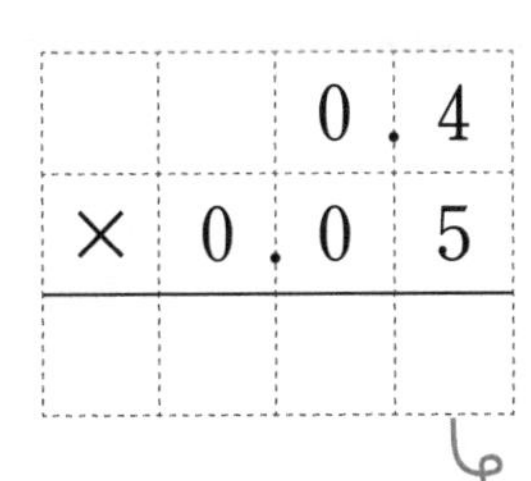

		0.	4
×	0.	0	5

소수점 아래 마지막 0은 생략하여 나타낼 수 있어.

22

		0.	6
×	0.	0	3

23

		0.	4
×	0.	0	7

24

		0.	9
×	0.	0	4

25

		0.	5
×	0.	0	7

26

		0.	8
×	0.	0	9

3. (소수)×(소수)

계산을 하세요.

1

	1	.2
×	0	.9

2

	1	.5
×	0	.7

3

	2	.7
×	0	.8

4

	0	.3
×	1	.4

5

	0	.5
×	1	.9

6

	0	.9
×	2	.2

7

	3	.4
×	2	.1

8

	6	.3
×	1	.2

9

	5	.1
×	1	.5

10

		2	.7
	×	4	.4

11

		4	.5
	×	3	.7

12

		7	.8
	×	3	.1

계산을 하세요.

13

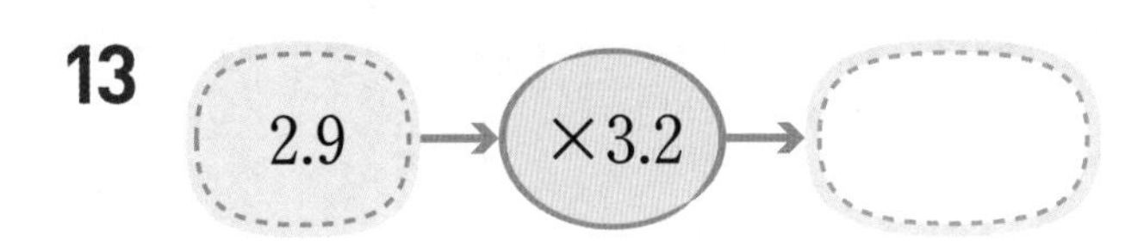

14

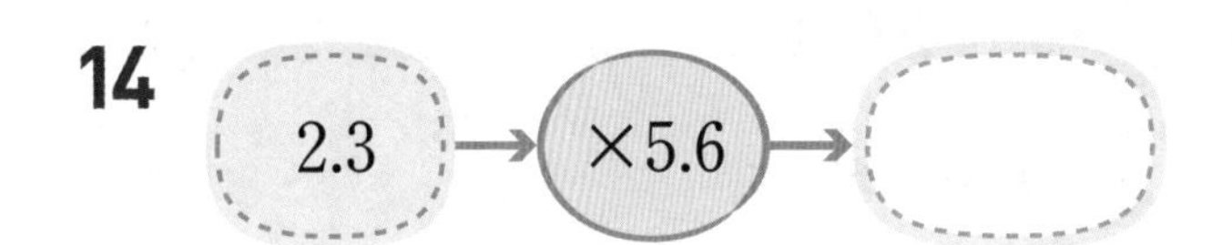

15

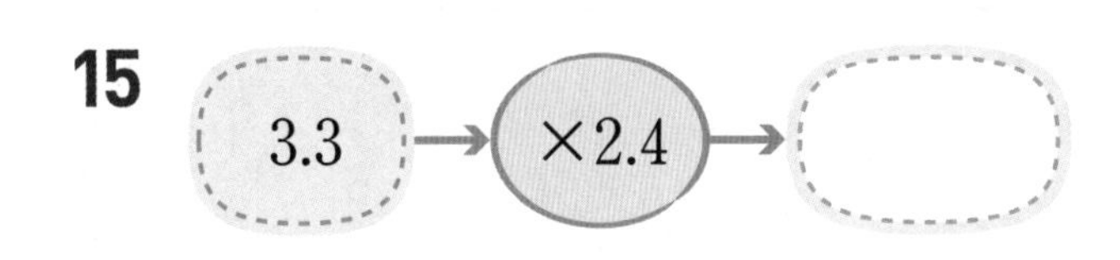

16

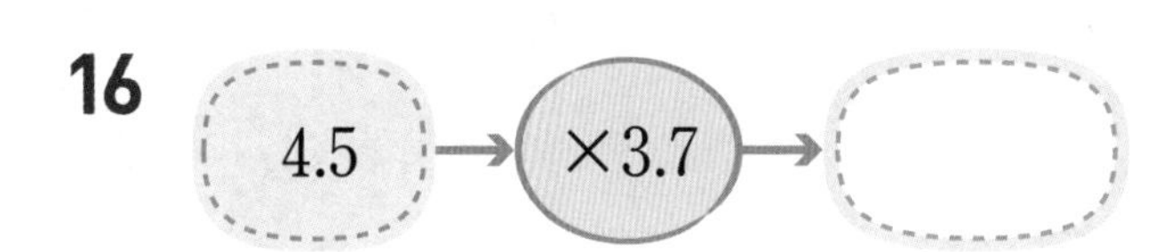

17

1.4 → ×2.2 →

18

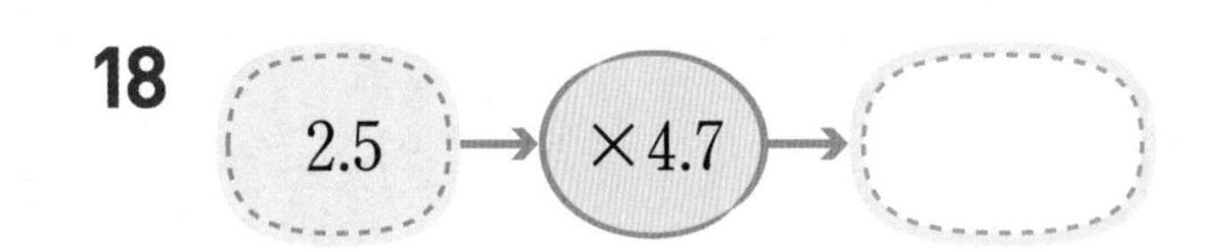

19

3.8 → ×5.6 →

20

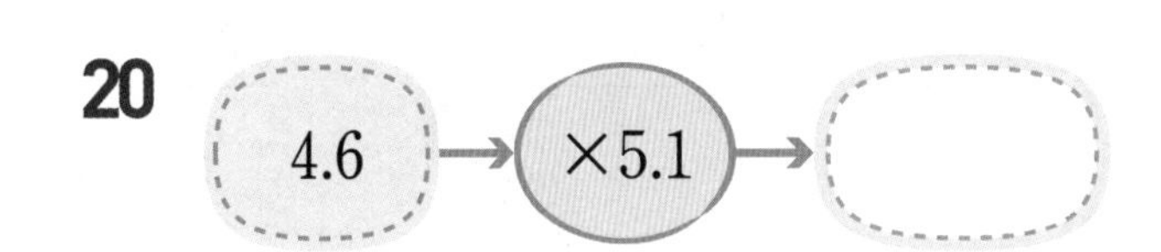

21

5.3 → ×2.6 →

22

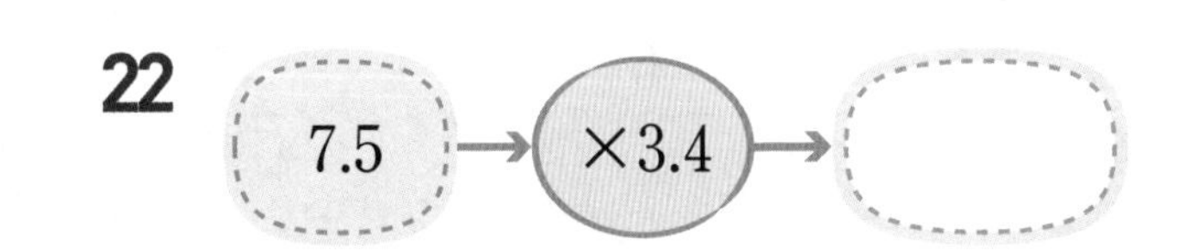

23

4.2 → ×3.8 →

24

8.5 → ×4.9 →

3. (소수)×(소수)

계산을 하세요.

1

	1.	4	7
×		0.	7

2

	2.	3	6
×		1.	2

3

	1.	8	3
×		2.	5

4

	1.	6	1
×		3.	5

5

	2.	5	6
×		2.	8

6

	3.	6	3
×		1.	4

7

	1.	7	5
×		0.	9

8

	3.	4	2
×		2.	1

9

	5.	0	2
×		1.	7

10

	2.	7	3
×		2.	6

11

	5.	3	1
×		1.	8

12

	3.	4	2
×		2.	8

13

		3.	4	5
	×		6.	1

14

		3.	2	8
	×		4.	2

15

		6.	2	7
	×		5.	8

두 수의 곱을 구하세요.

16
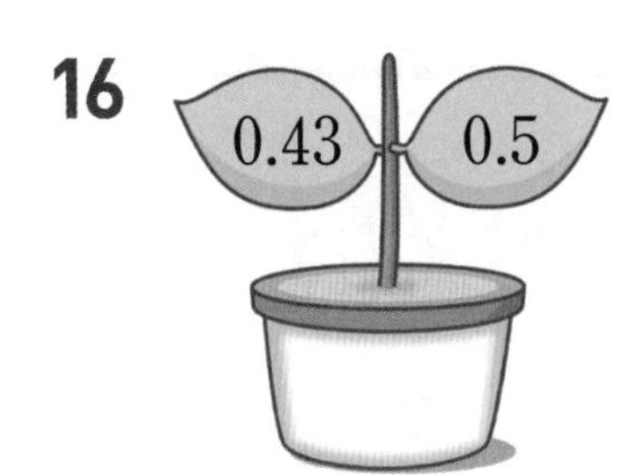

17

18

19

20

21
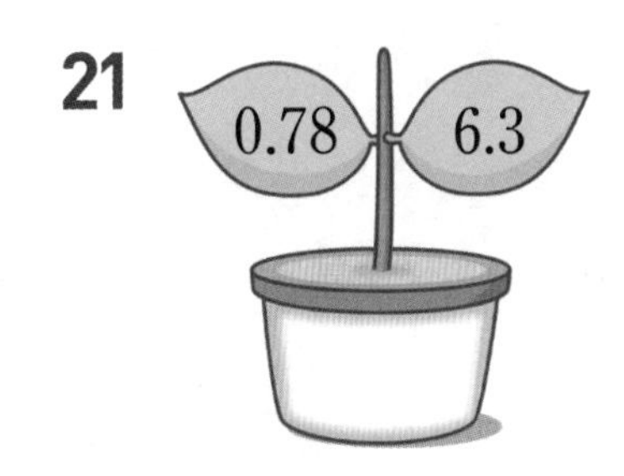

22
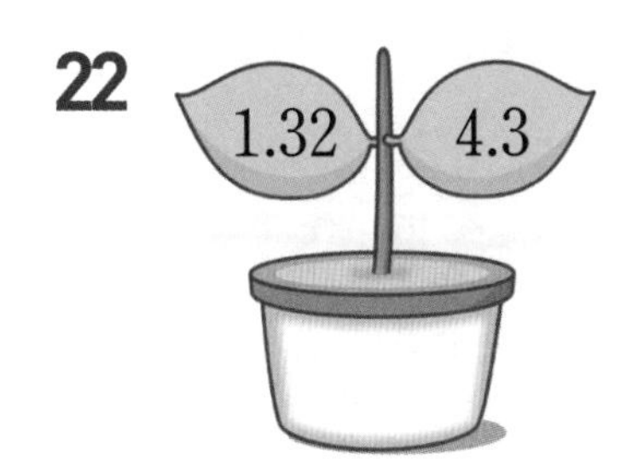

23
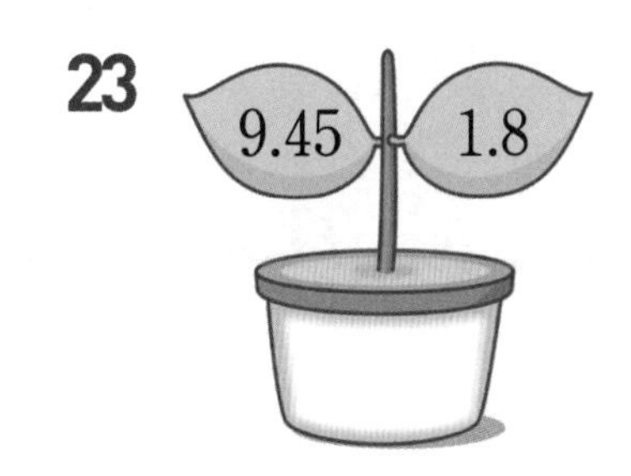

24

25

4단계 소수의 곱셈

3. (소수)×(소수)

계산을 하세요.

1 1.1×0.92

2 3.4×2.71

3 2.8×1.13

4 1.4×4.52

5 2.8×1.74

6 3.2×1.76

7 4.2×1.33

8 6.7×1.22

9 5.3×1.15

10 8.5×1.08

11 4.3×2.17

12 3.8×2.06

13 2.9×3.54

14 3.5×6.52

15 8.4×2.37

계산을 하세요.

16

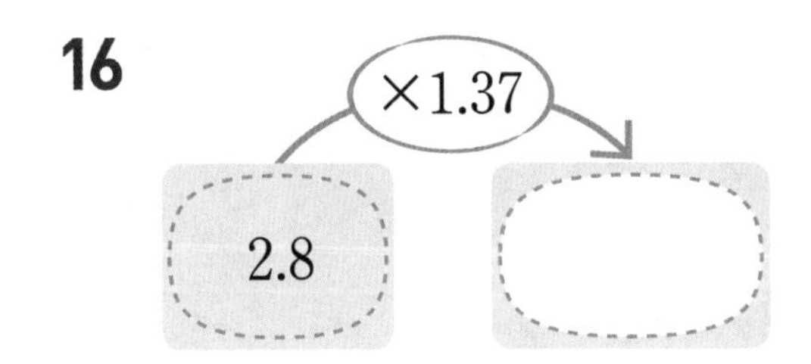

17

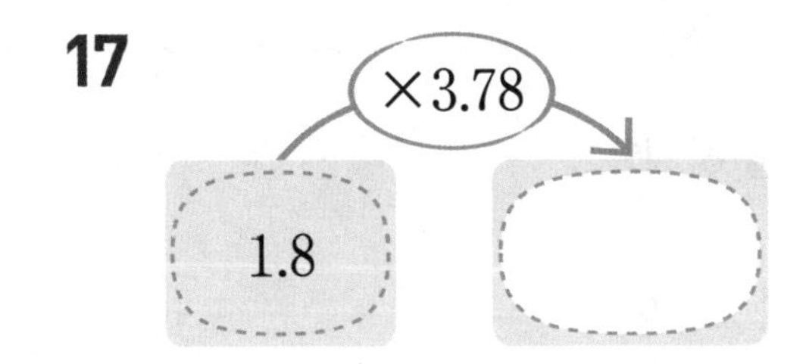

18

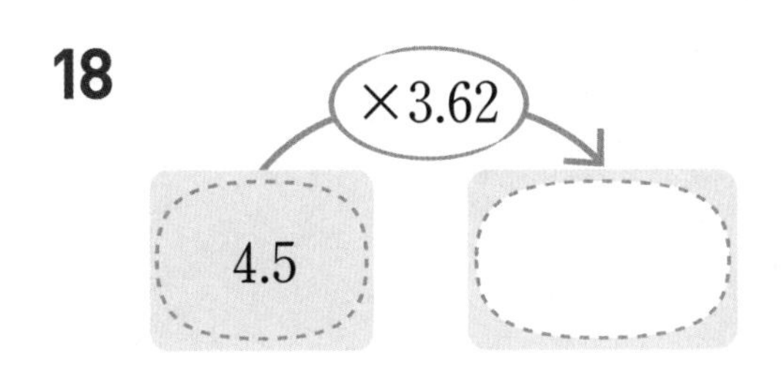

19

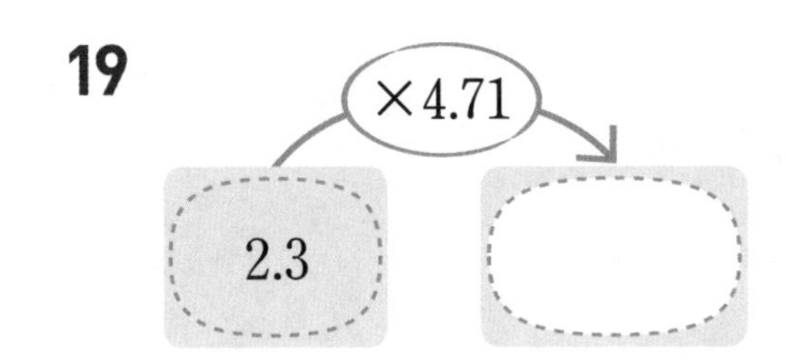

20

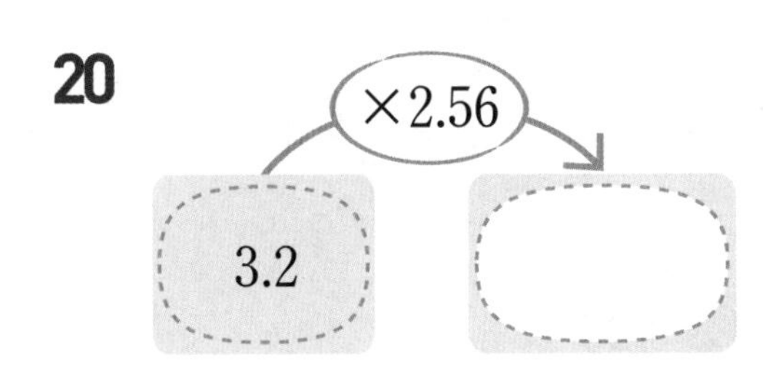

21

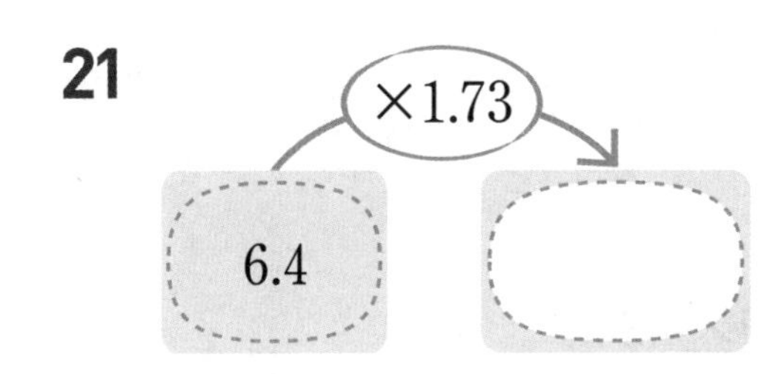

22

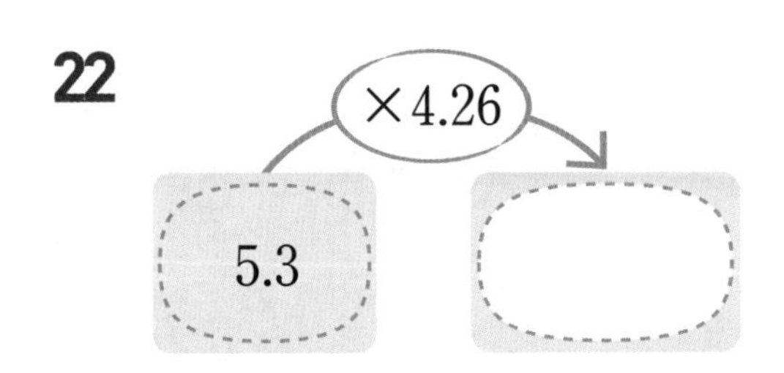

23

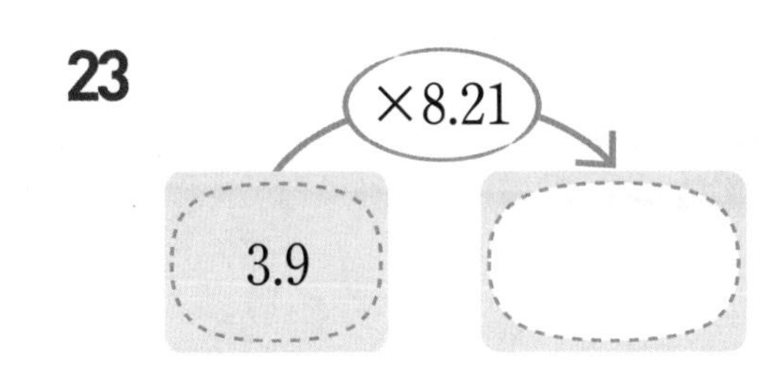

24

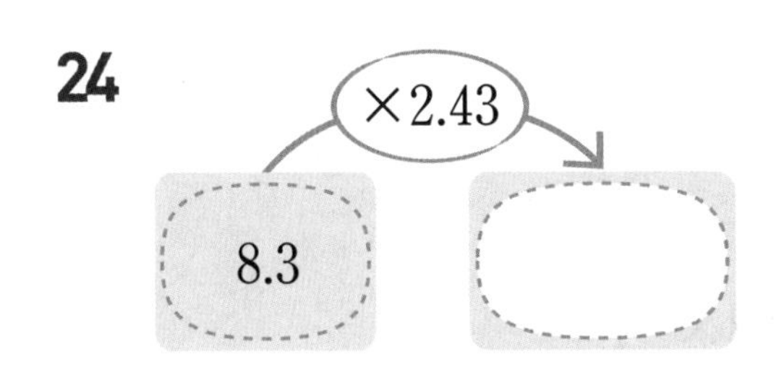

25

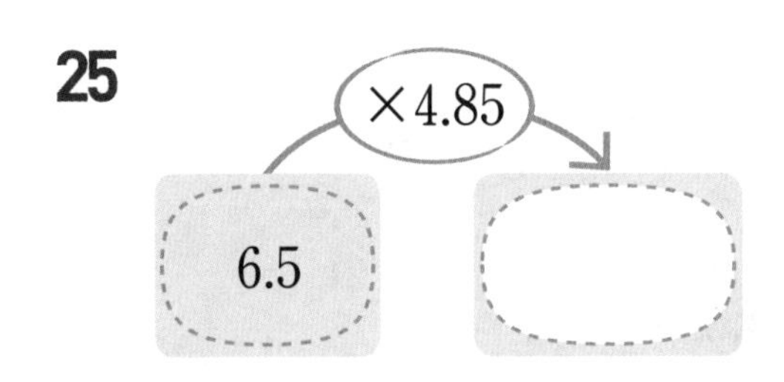

DAY 13

3. (소수)×(소수)

계산을 하세요.

1 0.56×0.26

2 0.28×0.65

3 0.72×0.15

4 0.46×0.38

5 0.67×0.92

6 0.44×0.29

7 0.59×4.28

8 1.74×3.28

9 3.16×1.98

10 2.83×3.47

11 6.07×2.85

12 3.63×5.48

13 4.15×3.26

14 8.28×2.14

공부한 날 월 일

계산을 하세요.

15

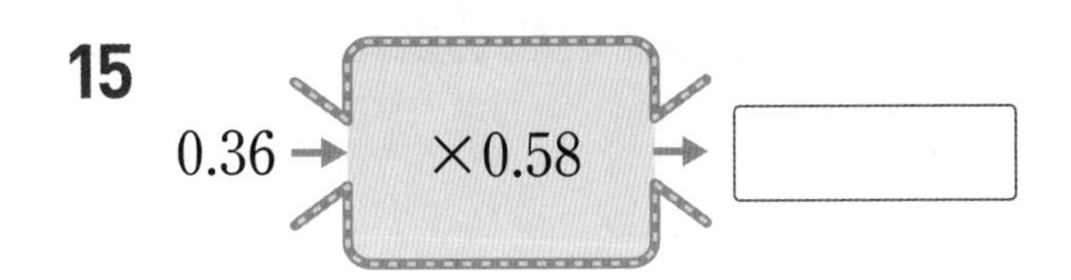

16

0.62 → ×0.38 → ☐

17

3.18 → ×1.52 → ☐

18

1.61 → ×2.23 → ☐

19

2.76 → ×4.57 → ☐

20

6.38 → ×4.35 → ☐

21

3.52 → ×2.86 → ☐

22

5.74 → ×1.86 → ☐

23

7.92 → ×1.78 → ☐

24

9.56 → ×3.05 → ☐

3. (소수)×(소수)

계산을 하세요.

1 4.6×3.8

2 5.7×3.2

3 6.2×4.5

4 7.4×2.7

5 1.88×1.6

6 3.71×2.2

7 5.72×3.7

8 3.65×4.8

9 1.9×2.73

10 2.6×3.64

11 5.6×2.33

12 4.3×6.71

13 4.72×2.16

14 3.85×4.08

계산을 하세요.

15

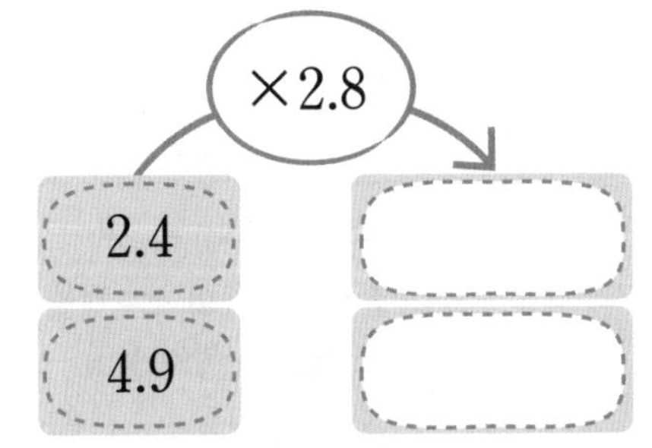

16

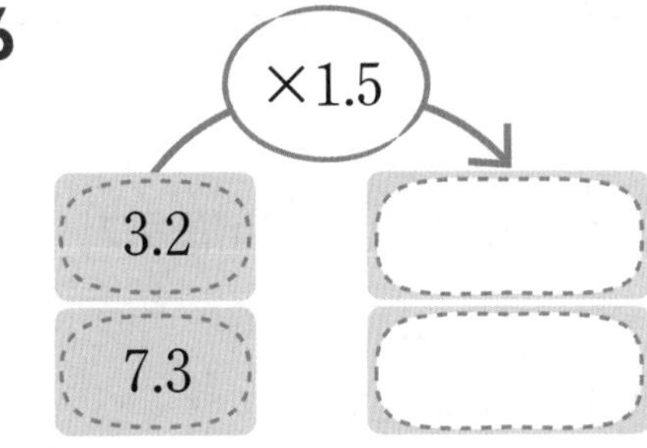

17

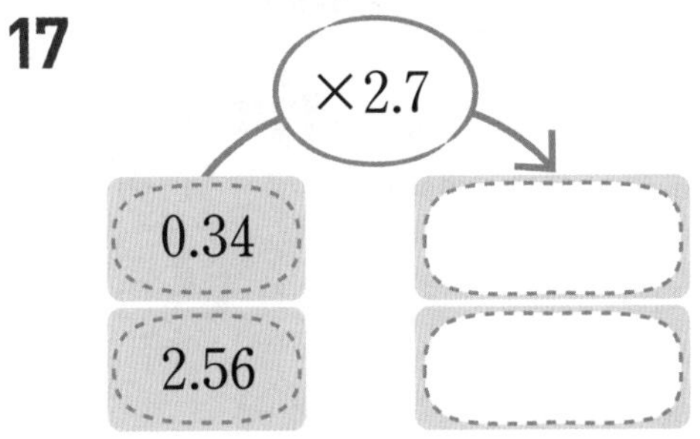

18

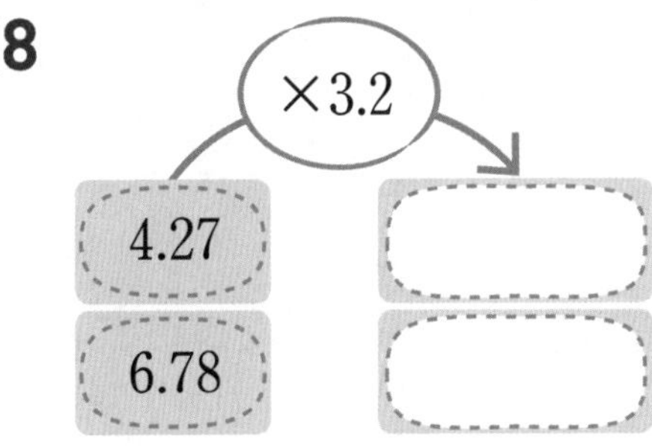

19

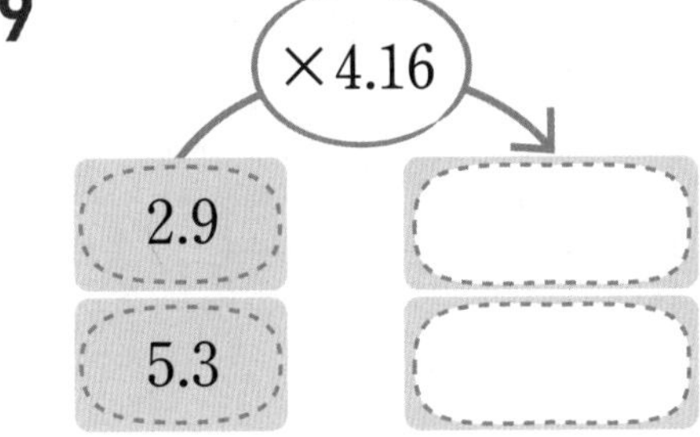

20

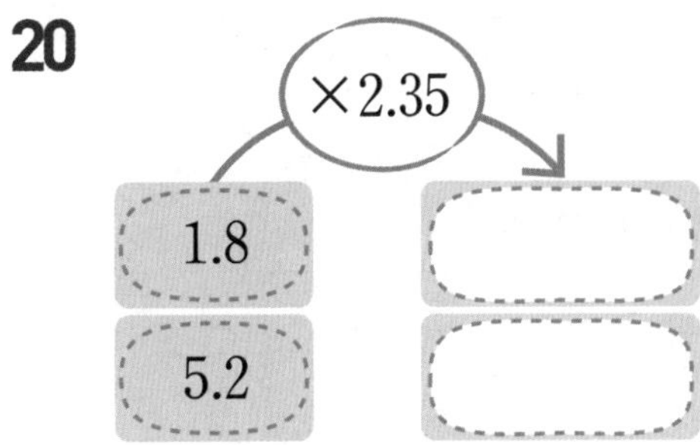

21

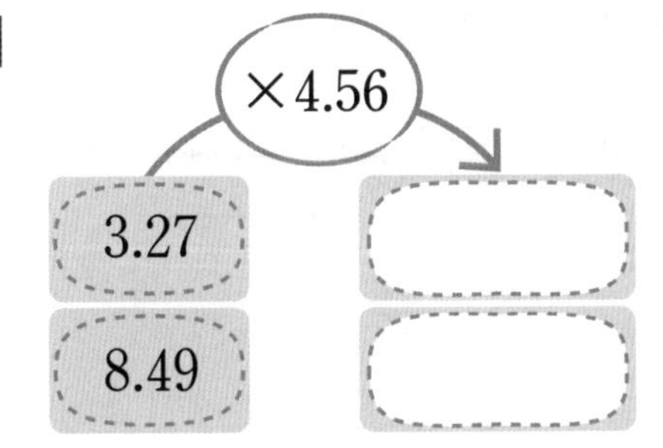

22

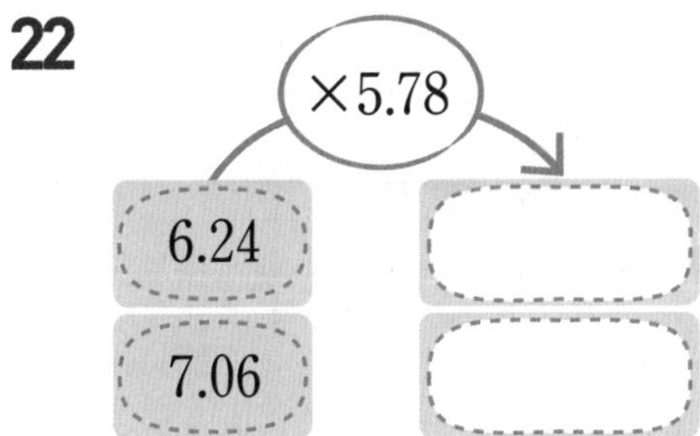

생활 속 연산

민율이 어머니께서 세제를 사러 마트에 갔습니다. 2.4 L에서 1.5배로 양을 늘린 세제를 골랐다면 민율이 어머니께서 고른 세제의 양은 몇 L인지 구하세요.

( )

4. 곱의 소수점 위치

예 0.15에 10, 100, 1000 곱하기

$0.15 \times 10 = 1.5$

$0.15 \times 100 = 15$

$0.15 \times 1000 = 150$

곱의 소수점을 옮길 자리가 없으면 오른쪽으로 0을 채우면서 소수점을 옮겨.

곱하는 수의 0이 하나씩 늘어날 때마다 곱의 소수점을 오른쪽으로 한 칸씩 옮겨.

계산을 하세요.

1

$0.2 \times 10 =$ [2]

$0.2 \times 100 =$ [20]

$0.2 \times 1000 =$ [200]

2

$1.7 \times 10 =$ [ ]

$1.7 \times 100 =$ [ ]

$1.7 \times 1000 =$ [ ]

3

$0.09 \times 10 =$ [ ]

$0.09 \times 100 =$ [ ]

$0.09 \times 1000 =$ [ ]

4

$3.08 \times 10 =$ [ ]

$3.08 \times 100 =$ [ ]

$3.08 \times 1000 =$ [ ]

5

$0.047 \times 10 =$ [ ]

$0.047 \times 100 =$ [ ]

$0.047 \times 1000 =$ [ ]

6

$3.612 \times 10 =$ [ ]

$3.612 \times 100 =$ [ ]

$3.612 \times 1000 =$ [ ]

계산을 하세요.

7

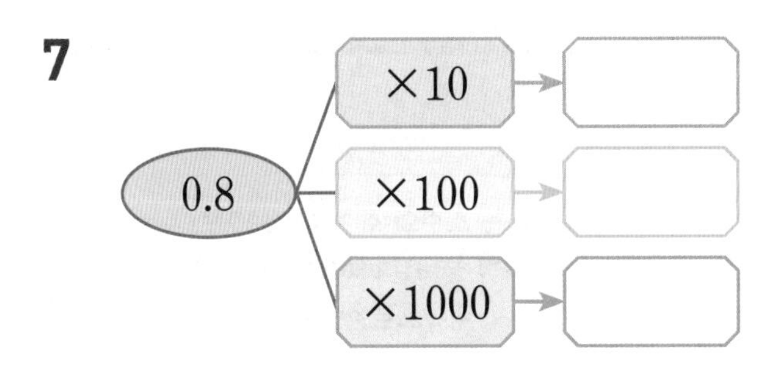

8

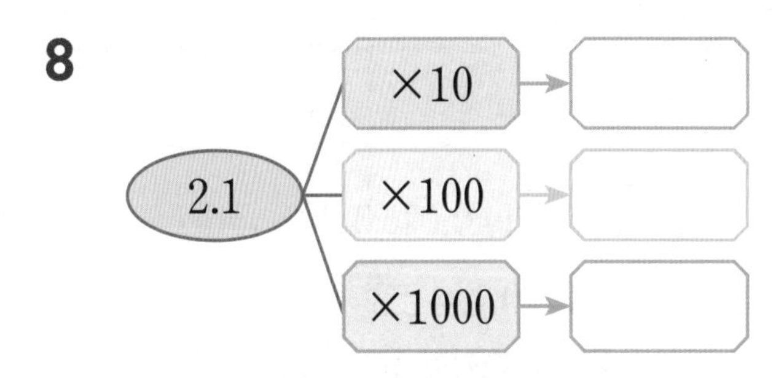

9

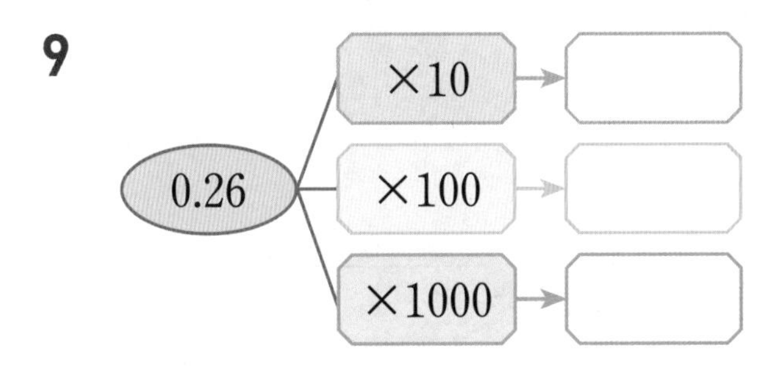

10

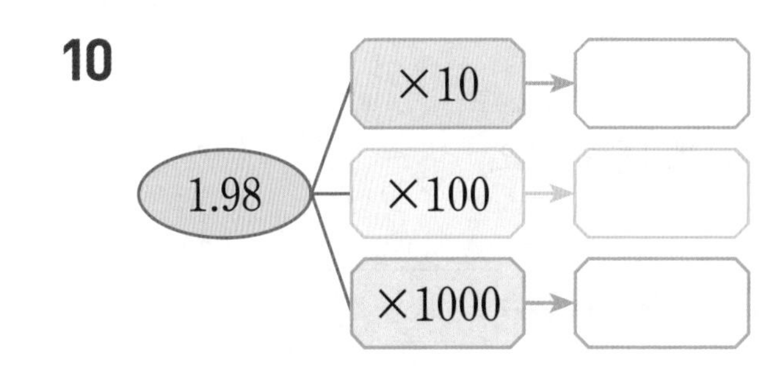

11

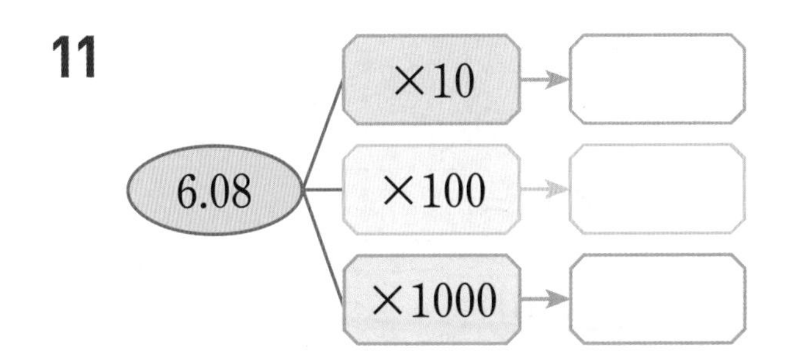

12

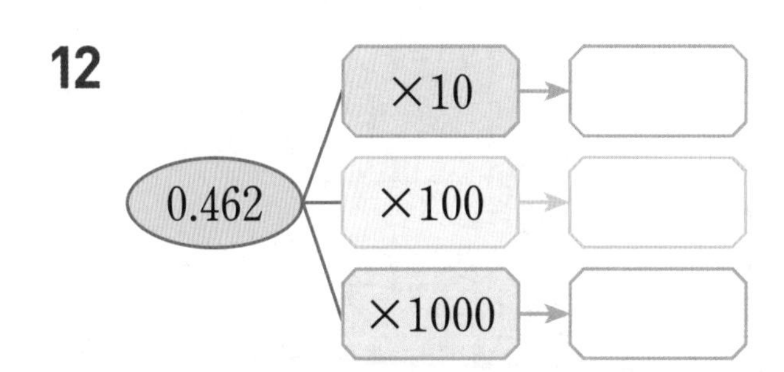

13

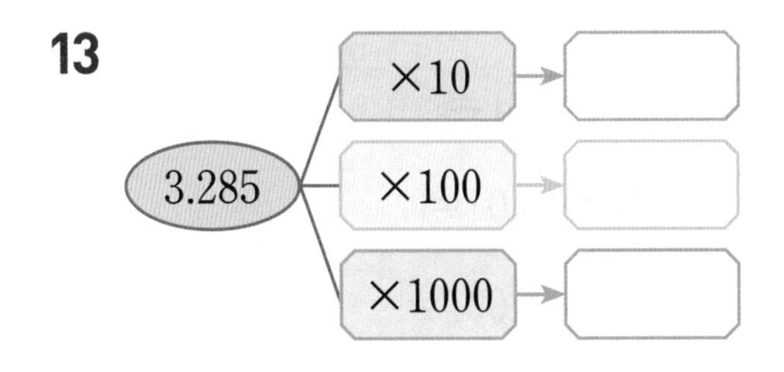

14

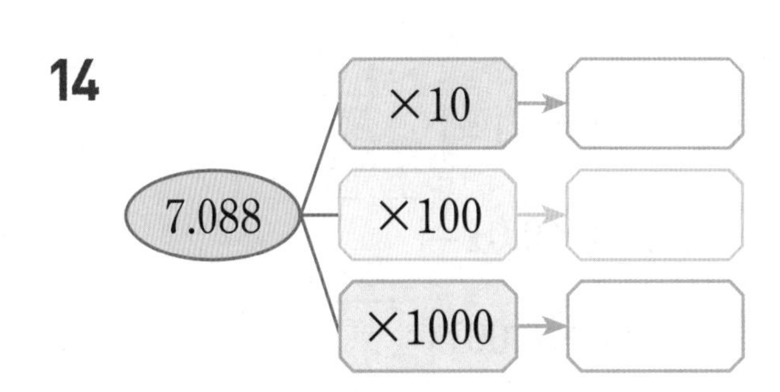

4단계 소수의 곱셈

4. 곱의 소수점 위치

예 23에 0.1, 0.01, 0.001 곱하기

$23\times0.1=2.3$
$23\times0.01=0.23$
$23\times0.001=0.023$

곱의 소수점을 옮길 자리가 없으면 왼쪽으로 0을 채우면서 소수점을 옮겨.

곱하는 소수의 소수점 아래 자리 수가 하나씩 늘어날 때마다 곱의 소수점을 왼쪽으로 한 칸씩 옮겨.

계산을 하세요.

1
$9\times0.1=$ 0.9
$9\times0.01=$ 0.09
$9\times0.001=$ 0.009

2
$5\times0.1=$ □
$5\times0.01=$ □
$5\times0.001=$ □

3
$10\times0.1=$ □
$10\times0.01=$ □
$10\times0.001=$ □

4
$47\times0.1=$ □
$47\times0.01=$ □
$47\times0.001=$ □

5
$104\times0.1=$ □
$104\times0.01=$ □
$104\times0.001=$ □

6
$270\times0.1=$ □
$270\times0.01=$ □
$270\times0.001=$ □

계산을 하세요.

7

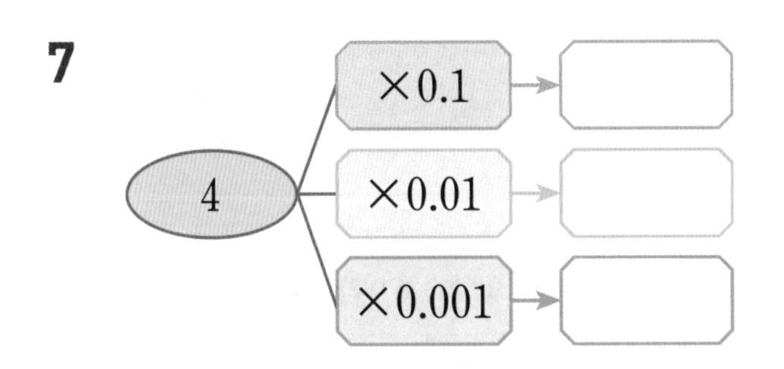

8

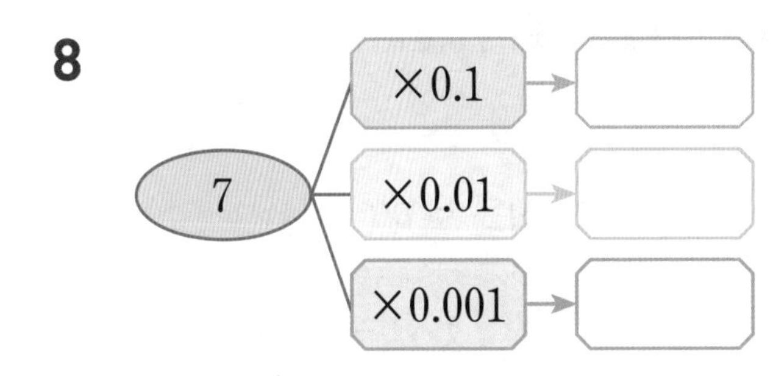

9

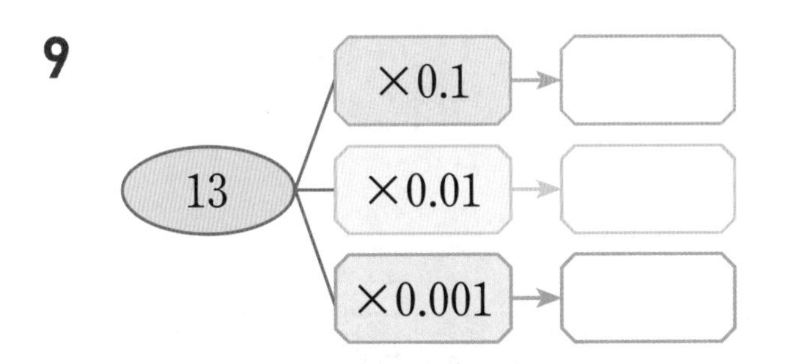

10

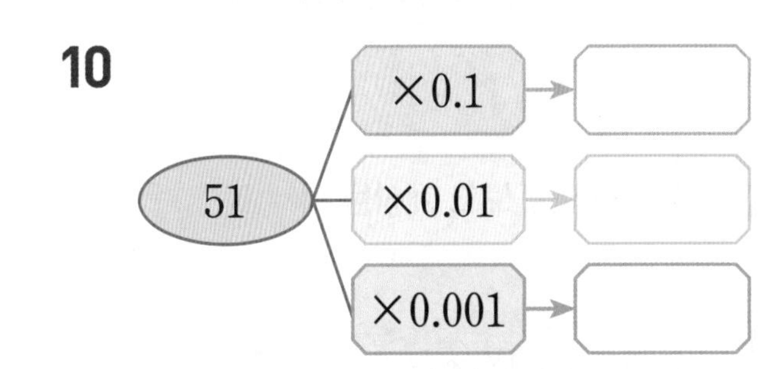

11

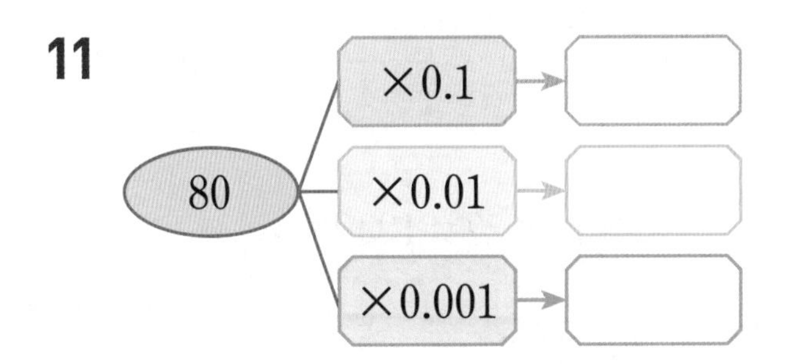

12

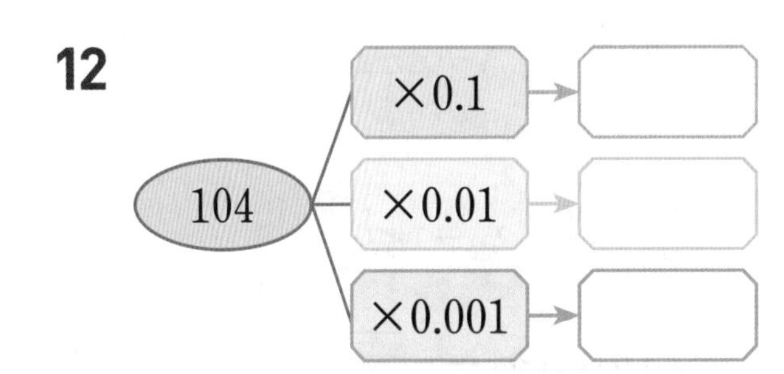

13

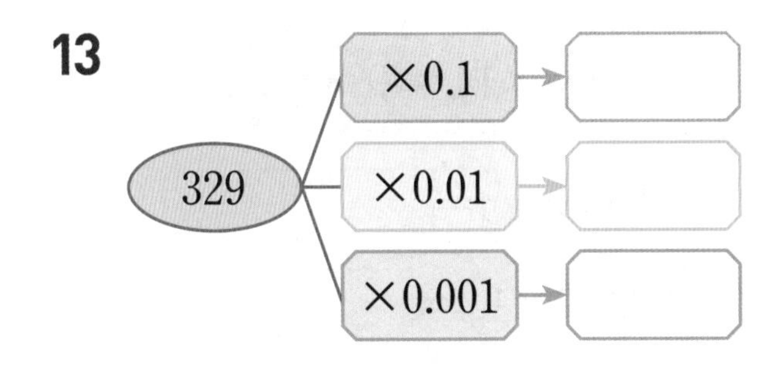

14

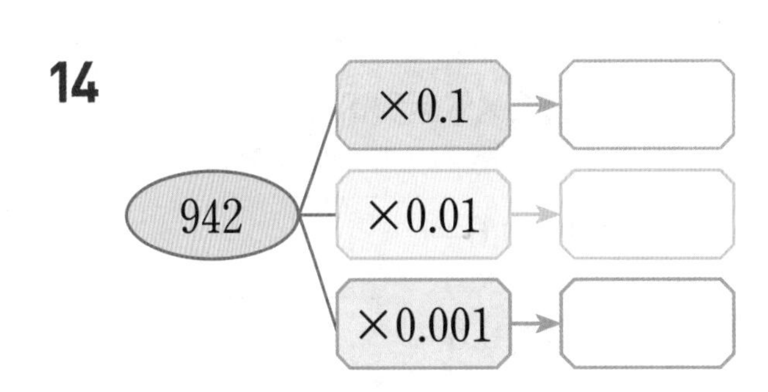

DAY 17

4단계 소수의 곱셈

4. 곱의 소수점 위치

● 주어진 식을 보고 (소수)×(소수) 계산하기

예 $4\times9=36$

- $0.4\times0.9=0.36$
- $0.4\times0.09=0.036$
- $0.04\times0.09=0.0036$

곱하는 두 수의 소수점 아래 자리 수를 더한 것과 곱의 소수점 아래 자리 수가 같아.

주어진 식을 보고 계산을 하세요.

1 $8\times4=32$

- $0.8\times0.4=$ □
- $0.08\times0.4=$ □

2 $12\times6=72$

- $1.2\times0.6=$ □
- $1.2\times0.06=$ □

3 $7\times21=147$

- $0.7\times0.21=$ □
- $0.07\times2.1=$ □

4 $46\times27=1242$

- $4.6\times0.27=$ □
- $0.46\times2.7=$ □

5 $123\times6=738$

- $12.3\times0.6=$ □
- $0.123\times0.6=$ □

6 $357\times14=4998$

- $35.7\times1.4=$ □
- $0.357\times1.4=$ □

주어진 식을 보고 계산을 하세요.

7

$6\times9=54$

$0.6\times0.9=$ □

$0.6\times0.09=$ □

8

$7\times2=14$

$0.7\times0.02=$ □

$0.07\times0.02=$ □

9

$5\times14=70$

$0.05\times1.4=$ □

$0.5\times0.014=$ □

10

$8\times53=424$

$0.8\times5.3=$ □

$0.8\times0.53=$ □

11

$32\times8=256$

$3.2\times0.8=$ □

$0.32\times0.08=$ □

12

$92\times9=828$

$9.2\times0.09=$ □

$0.92\times0.9=$ □

13

$58\times32=1856$

$0.58\times3.2=$ □

$0.58\times0.32=$ □

14

$540\times30=16200$

$54\times0.3=$ □

$5.4\times0.03=$ □

DAY 18

마무리 연산

계산을 하세요.

1 0.4×7

2 0.8×3

3 1.3×6

4 4.5×9

5 6.4×4

6 7.2×5

7 0.26×8

8 0.43×7

9 1.67×8

10 3.49×5

11 5.34×7

12 7.25×4

13 8.53×12

14 9.15×16

계산을 하세요.

15 8×0.9

16 9×0.3

17 6×1.4

18 4×2.8

19 2×7.2

20 13×8.1

21 3×0.68

22 2×0.94

23 5×1.28

24 6×4.82

25 3×6.16

26 4×7.45

27 6×8.24

28 11×9.04

4단계 소수의 곱셈

마무리 연산

계산을 하세요.

1 0.2×0.6

2 2.5×3.7

3 3.8×4.4

4 4.3×6.5

5 0.84×0.6

6 2.53×6.5

7 4.13×6.4

8 0.7×0.43

9 3.8×4.74

10 5.3×3.25

11 1.45×6.23

12 3.12×5.62

13 5.02×4.89

14 7.45×3.19

계산을 하세요.

15

$0.65\times10=$ ☐

$0.65\times100=$ ☐

$0.65\times1000=$ ☐

16

$25\times0.1=$ ☐

$25\times0.01=$ ☐

$25\times0.001=$ ☐

17

$0.428\times10=$ ☐

$0.428\times100=$ ☐

$0.428\times1000=$ ☐

18

$540\times0.1=$ ☐

$540\times0.01=$ ☐

$540\times0.001=$ ☐

19

$4.013\times10=$ ☐

$4.013\times100=$ ☐

$4.013\times1000=$ ☐

20

$758\times0.1=$ ☐

$758\times0.01=$ ☐

$758\times0.001=$ ☐

주어진 식을 보고 계산을 하세요.

21

$5\times15=75$

$0.5\times1.5=$ ☐

$0.05\times1.5=$ ☐

22

$38\times12=456$

$3.8\times1.2=$ ☐

$0.38\times0.12=$ ☐

23

$30\times48=1440$

$3\times4.8=$ ☐

$0.3\times0.48=$ ☐

24

$186\times31=5766$

$18.6\times3.1=$ ☐

$1.86\times0.31=$ ☐

5

평균

학습 결과와 시간을 써 보세요!

학습 내용	학습 회차	맞힌 개수/걸린 시간
1. 평균 구하기	DAY 01	/
	DAY 02	/
	DAY 03	/
	DAY 04	/
	DAY 05	/
마무리 연산	DAY 06	/

DAY 01

5단계 평균

1. 평균 구하기

예 주어진 수들의 평균 구하기

5	8	3	4

(평균)=(자료의 값을 모두 더한 수)÷(자료의 수)

=(5+8+3+4)÷4

=20÷4=5

주어진 수들의 평균을 구하세요.

1

9 5 4 2

(평균)=(9+5+[4]+[2])÷4

=[20]÷4=[5]

2

7 8 13 4

(평균)=(7+8+[ ]+[ ])÷4

=[ ]÷4=[ ]

3

14 11 9 6

(평균)=(14+11+[ ]+[ ])÷[ ]

=[ ]÷[ ]=[ ]

4

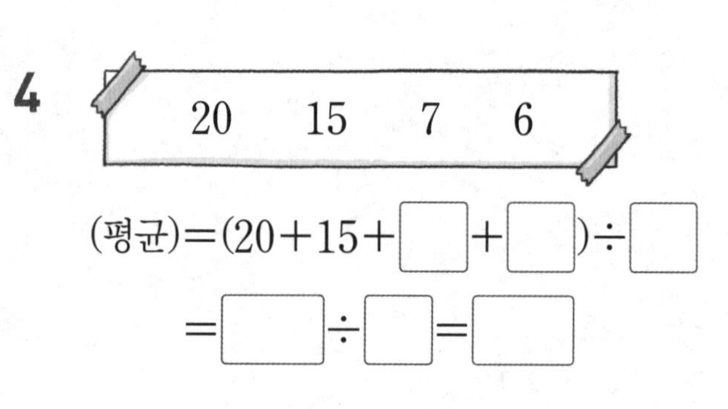

20 15 7 6

(평균)=(20+15+[ ]+[ ])÷[ ]

=[ ]÷[ ]=[ ]

5

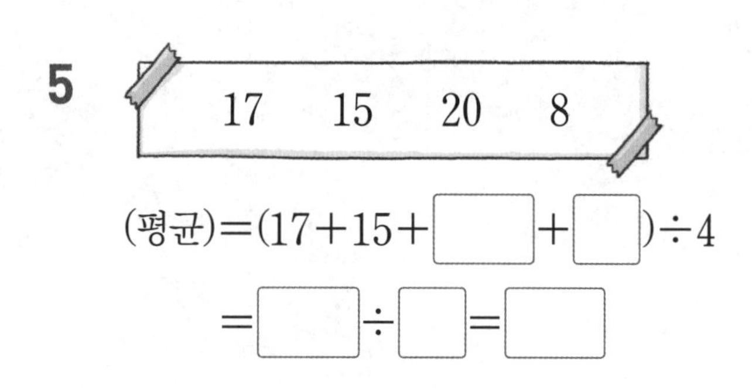

17 15 20 8

(평균)=(17+15+[ ]+[ ])÷4

=[ ]÷[ ]=[ ]

6

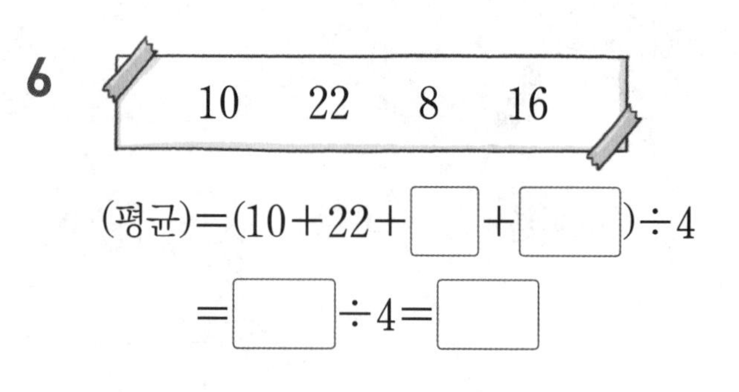

10 22 8 16

(평균)=(10+22+[ ]+[ ])÷4

=[ ]÷4=[ ]

주어진 수들의 평균을 구하세요.

7 3 5 7 9

( )

8 6 2 8 4

( )

9 7 10 3 8

( )

10 6 20 5 13

( )

11 9 14 30 3

( )

12 25 17 5 21

( )

13 27 9 16 12

( )

14 18 14 5 11

( )

15 26 14 13 7

( )

16 25 16 9 14

( )

17 17 25 32 26

( )

18 15 21 45 11

( )

5단계 평균

1. 평균 구하기

주어진 수들의 평균을 구하세요.

1 8 10 12 6

( )

2 5 8 9 6

( )

3 6 9 7 10

( )

4 11 5 7 9

( )

5 9 8 16 11

( )

6 14 19 13 18

( )

7 29 5 13 25

( )

8 32 11 19 34

( )

9 40 16 22 30

( )

10 33 19 14 10

( )

11 13 16 25 30

( )

12 19 35 41 21

( )

수달이와 친구들이 돌린 훌라후프 수를 나타낸 것입니다. □ 안에 알맞은 수를 써넣으세요.

13

12번	17번	11번	20번

네 친구들이 돌린 훌라후프 수: □번

네 친구들이 돌린 훌라후프 수의 평균: □번

14

22번	28번	19번	23번

네 친구들이 돌린 훌라후프 수: □번

네 친구들이 돌린 훌라후프 수의 평균: □번

15

34번	22번	27번	25번

네 친구들이 돌린 훌라후프 수: □번

네 친구들이 돌린 훌라후프 수의 평균: □번

16

27번	34번	28번	35번

네 친구들이 돌린 훌라후프 수: □번

네 친구들이 돌린 훌라후프 수의 평균: □번

DAY 03

5단계 평균

1. 평균 구하기

주어진 수들의 평균을 구하세요.

1

35 26 48 22 49

( )

2

56 18 20 39 67

( )

3

50 12 44 69 20

( )

4

24 36 69 21 65

( )

5

48 67 23 80 52

( )

6

49 71 68 32 55

( )

7

23 34 75 58 90

( )

8

87 52 45 78 73

( )

9

77 83 93 42 65

( )

10

51 41 86 30 92

( )

11

80 66 52 90 47

( )

12

94 83 64 76 58

( )

수달이와 친구들이 넘은 줄넘기 수를 나타낸 것입니다. □ 안에 알맞은 수를 써넣으세요.

13

72번	84번	98번	89번	87번

다섯 친구들이 넘은 줄넘기 수: □번

다섯 친구들이 넘은 줄넘기 수의 평균: □번

14

95번	76번	88번	63번	68번

다섯 친구들이 넘은 줄넘기 수: □번

다섯 친구들이 넘은 줄넘기 수의 평균: □번

15

96번	100번	84번	93번	102번

다섯 친구들이 넘은 줄넘기 수: □번

다섯 친구들이 넘은 줄넘기 수의 평균: □번

16

85번	79번	87번	91번	73번

다섯 친구들이 넘은 줄넘기 수: □번

다섯 친구들이 넘은 줄넘기 수의 평균: □번

5단계 평균

1. 평균 구하기

주어진 수들의 평균을 구하세요.

1

2　4　10　12　6　8

(　　　　　　)

2

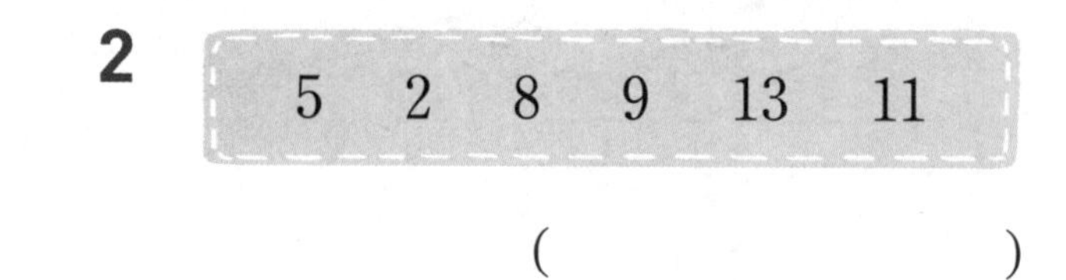

(　　　　　　)

3

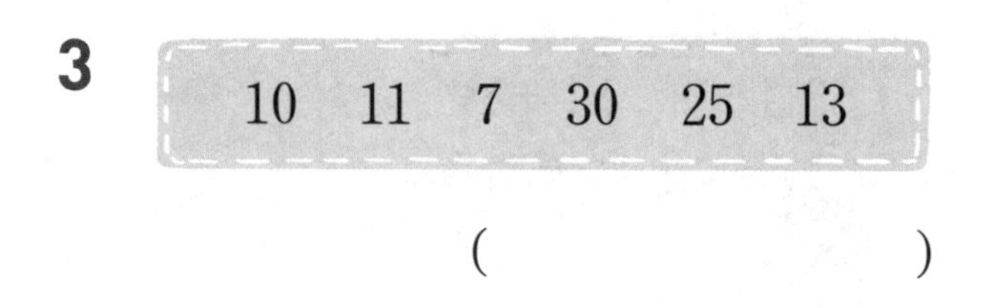

(　　　　　　)

4

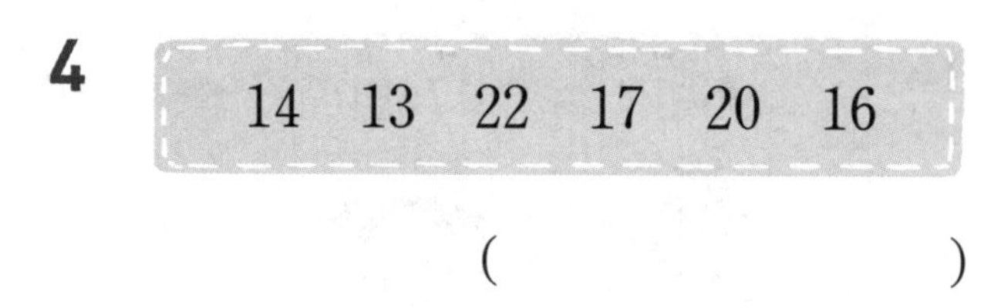

(　　　　　　)

5

9　8　7　14　18　10

(　　　　　　)

6

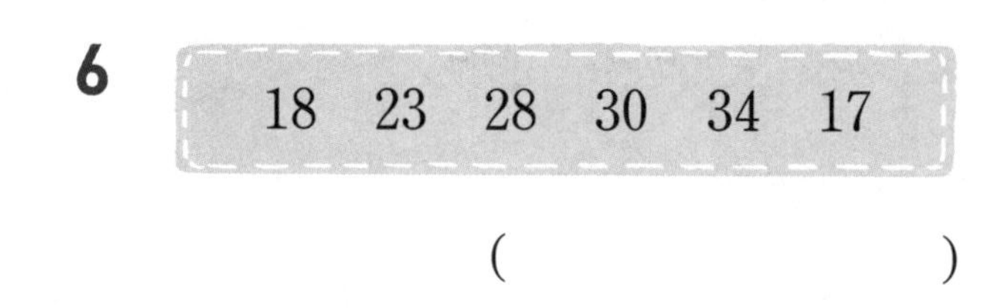

(　　　　　　)

7

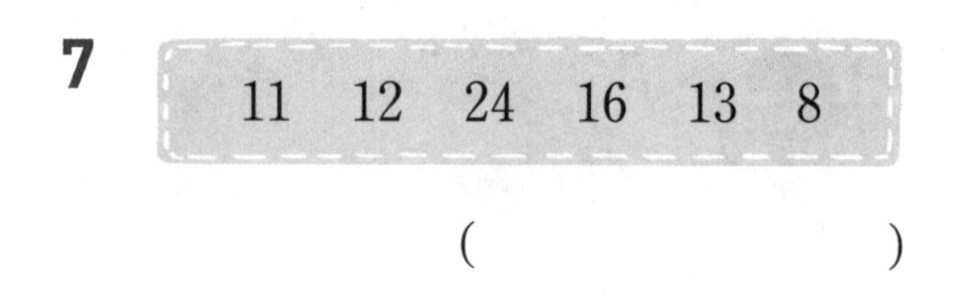

(　　　　　　)

8

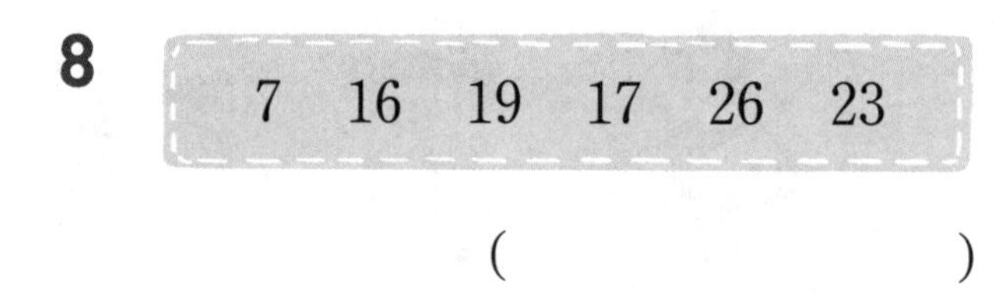

(　　　　　　)

9

10　28　37　24　17　16

(　　　　　　)

10

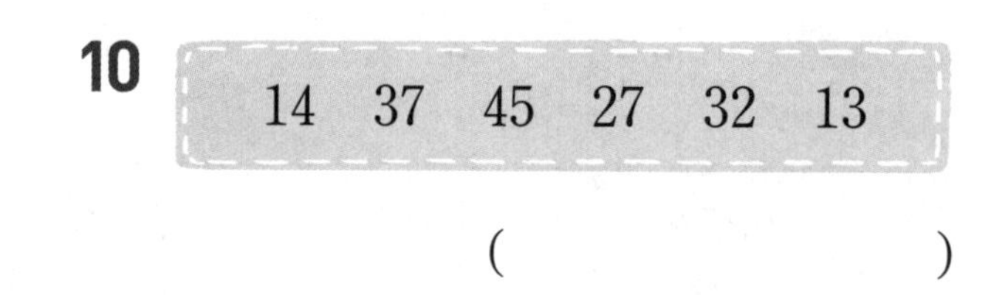

(　　　　　　)

11

13　59　25　45　34　22

(　　　　　　)

12

51　33　18　49　25　16

(　　　　　　)

표를 보고 주어진 자료의 평균을 구하세요.

13

지수의 턱걸이 기록

회	1회	2회	3회	4회	5회	6회
기록(번)	21	15	24	18	10	14

( )

14

은규의 턱걸이 기록

회	1회	2회	3회	4회	5회	6회
기록(번)	15	20	18	23	15	23

( )

15

승호의 턱걸이 기록

회	1회	2회	3회	4회	5회	6회
기록(번)	24	28	26	22	20	30

( )

16

윤아의 턱걸이 기록

회	1회	2회	3회	4회	5회	6회
기록(번)	23	25	27	21	22	26

( )

17

민수의 턱걸이 기록

회	1회	2회	3회	4회	5회	6회
기록(번)	36	28	32	40	27	23

( )

5단계 평균

1. 평균 구하기

표를 보고 주어진 자료의 평균을 구하세요.

1

수학 공부한 시간

요일	월	화	수	목	금
시간(분)	35	50	30	40	45

(　　　　　　　)

2

자전거 탄 시간

요일	월	화	수	목	금
시간(분)	33	34	35	32	31

(　　　　　　　)

3

컴퓨터 한 시간

요일	월	화	수	목	금
시간(분)	52	58	49	71	55

(　　　　　　　)

4

독서한 시간

요일	월	화	수	목	금
시간(분)	25	40	48	52	65

(　　　　　　　)

5

운동한 시간

요일	월	화	수	목	금
시간(분)	75	80	85	95	90

(　　　　　　　)

월말 평가 점수 표를 보고 주어진 자료의 평균이 더 높은 월은 몇 월인지 쓰세요.

6

3월 월말 평가 점수

과목	국어	수학	사회	과학
점수(점)	90	80	75	75

4월 월말 평가 점수

과목	국어	수학	사회	과학
점수(점)	85	95	70	90

(   )

7

5월 월말 평가 점수

과목	국어	수학	사회	과학
점수(점)	84	96	78	82

6월 월말 평가 점수

과목	국어	수학	사회	과학
점수(점)	74	86	84	92

(   )

8

9월 월말 평가 점수

과목	국어	수학	사회	과학
점수(점)	90	100	84	86

10월 월말 평가 점수

과목	국어	수학	사회	과학
점수(점)	88	82	100	94

(   )

생활 속 연산

연두와 민지가 5일 동안의 독서 시간을 기록한 표입니다. 독서 시간의 평균이 더 긴 사람은 누구인지 쓰세요.

연두의 독서 시간

요일	월	화	수	목	금
시간(분)	35	40	35	30	40

민지의 독서 시간

요일	월	화	수	목	금
시간(분)	30	35	25	55	45

(   )

5단계 평균

마무리 연산

주어진 수들의 평균을 구하세요.

1 3 5 7 9

( )

2

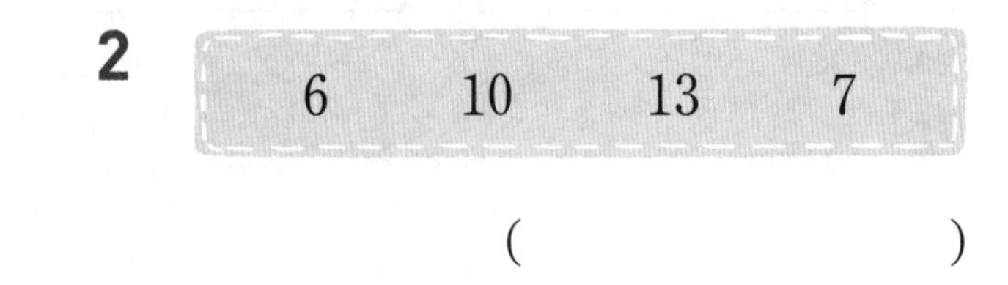

6 10 13 7

( )

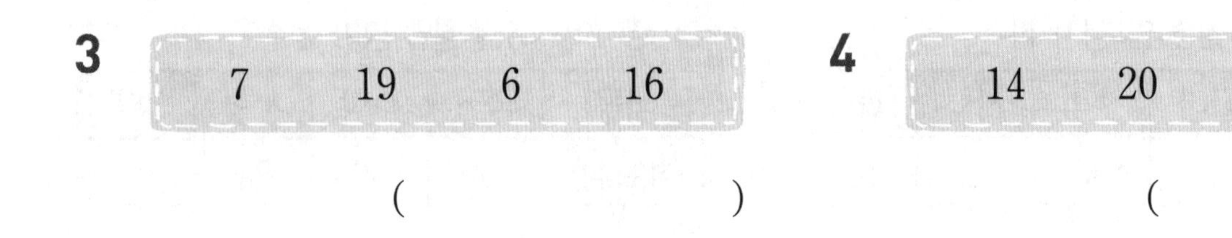

3 7 19 6 16

( )

4 14 20 10 20

( )

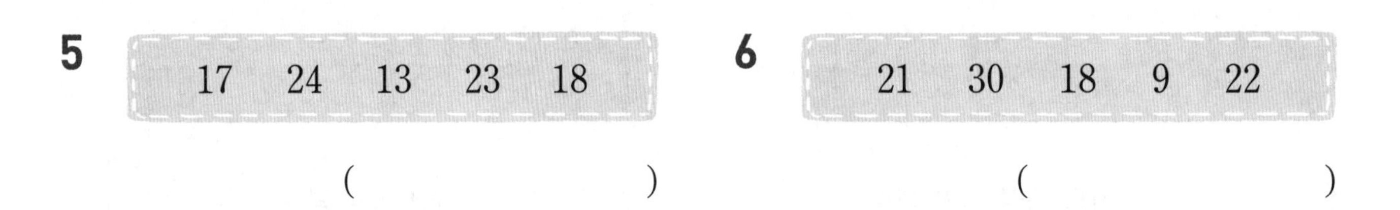

5 17 24 13 23 18

( )

6 21 30 18 9 22

( )

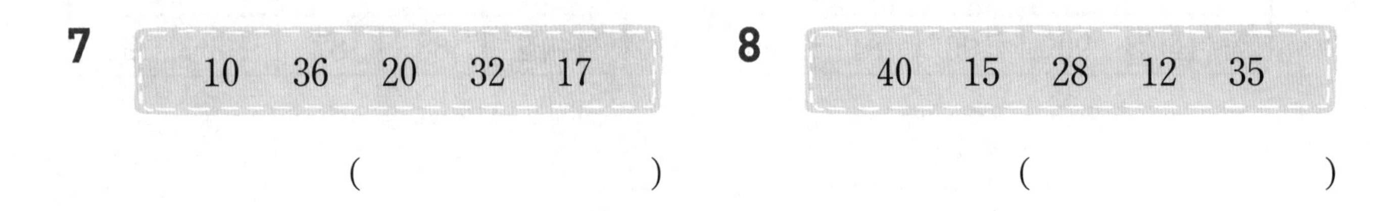

7 10 36 20 32 17

( )

8 40 15 28 12 35

( )

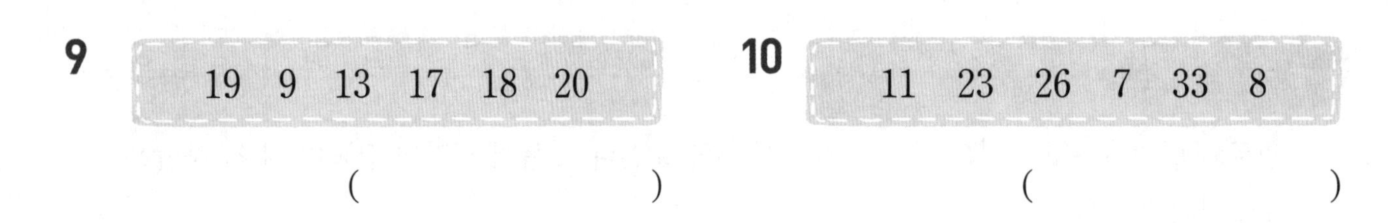

9 19 9 13 17 18 20

( )

10 11 23 26 7 33 8

( )

11 35 26 7 42 14 20

( )

12 17 27 38 6 45 11

( )

표를 보고 주어진 자료의 평균을 구하세요.

13

규리가 마신 우유의 양

요일	월	화	수	목	금
우유의 양(mL)	180	220	340	200	260

( )

14

성재가 마신 우유의 양

요일	월	화	수	목	금
우유의 양(mL)	260	225	190	285	290

( )

15

연우가 마신 우유의 양

요일	월	화	수	목	금
우유의 양(mL)	355	370	320	365	390

( )

표를 보고 주어진 자료의 평균이 더 높은 사람은 누구인지 쓰세요.

16

민희의 공 던지기 기록

회	1회	2회	3회	4회
기록(m)	16	12	30	22

선유의 공 던지기 기록

회	1회	2회	3회	4회
기록(m)	33	18	20	25

( )

17

윤후가 도서관에서 빌린 책 수

월	1월	2월	3월	4월
책 수(권)	25	24	23	20

혜리가 도서관에서 빌린 책 수

월	1월	2월	3월	4월
책 수(권)	15	20	21	28

( )

MEMO

MEMO

MEMO

힘수 연산으로 **수학** 기초 체력 **UP!**

이제 정답을
확인하러 가 볼까?

힘이 붙는 수학 연산

정답

초등 5B

금성출판사

차례

정답

초등 5B

1단계 수의 범위

DAY 01 8~9쪽

1. 이상과 이하

1 5, 6에 ○표
2 8, 9, 10에 ○표
3 10, 14, 18에 ○표
4 14, 17에 ○표
5 20, 19에 ○표
6 21, 30, 28에 ○표
7 29, 35, 27에 ○표
8 35, 32, 44에 ○표
9 17, 21, 17.4에 색칠
10 22, 25, 28에 색칠
11 26, 27.8, 31, 30에 색칠
12 31, 34, 37, 40에 색칠
13 34.2, 38, 41, 36에 색칠
14 38, 50.1, 41.5, 37에 색칠
15 50, 44, 61, 54에 색칠
16 56, 49.6, 46, 64에 색칠

DAY 02 10~11쪽

1. 이상과 이하

1 2, 3, 4에 ○표
2 6, 7에 ○표
3 10, 11, 12에 ○표
4 14, 15에 ○표
5 15, 19, 20에 ○표
6 28, 18, 24에 ○표
7 22, 33에 ○표
8 40, 38, 43에 ○표
9 4, 8, 7.5에 색칠
10 12.6, 13, 9에 색칠
11 19, 14, 17, 18.3에 색칠
12 22.6, 23, 18, 21.9에 색칠
13 27, 26.4, 17, 21.8에 색칠
14 32.6, 30, 28.5, 33에 색칠
15 32.4, 26, 35.8, 36에 색칠
16 44.5, 43, 36.3, 45에 색칠
17 46.8, 39, 47, 40.8에 색칠
18 48.6, 51.7, 42, 52에 색칠

DAY 03 12~13쪽

1. 이상과 이하

1 5 이상인 수
2 7 이하인 수
3 11 이상인 수
4 14 이하인 수
5 21 이상인 수
6 27 이하인 수
7 28 이상인 수
8 37 이하인 수

9 1 2 3 4 5 6 7 8 9 10

10 6 7 8 9 10 11 12 13 14 15

11 10 11 12 13 14 15 16 17 18 19

12 24 25 26 27 28 29 30 31 32 33

13 21 22 23 24 25 26 27 28 29 30

14 31 32 33 34 35 36 37 38 39 40

15 32 33 34 35 36 37 38 39 40 41

16 39 40 41 42 43 44 45 46 47 48

생활 속 연산 3명

DAY 04 14~15쪽

2. 초과와 미만

1 4, 5, 6에 ○표
2 10, 11에 ○표
3 19, 20, 21에 ○표
4 24, 26에 ○표
5 29, 30, 32에 ○표
6 40, 36에 ○표
7 45, 50에 ○표
8 55, 62에 ○표
9 17, 21, 19에 색칠
10 30, 25, 23.8에 색칠
11 37.5, 47, 41, 39에 색칠
12 53, 40, 42, 39.2에 색칠
13 45, 49.1, 42.6, 51에 색칠
14 51, 48.4, 54, 49에 색칠
15 57, 55, 58, 54.6에 색칠
16 65, 66.3, 70.4, 67에 색칠

DAY 05 16~17쪽

2. 초과와 미만

1 5, 6, 7에 ○표
2 13, 14에 ○표
3 23, 15, 19에 ○표
4 32, 29에 ○표
5 38, 28, 41에 ○표
6 54, 49, 51에 ○표
7 39, 62에 ○표
8 69, 59, 71에 ○표
9 4, 5, 3.5에 색칠
10 8, 4, 9.7에 색칠
11 16.8, 11, 15, 14에 색칠
12 20, 18, 21, 23.9에 색칠
13 33.8, 35, 29, 35.3에 색칠
14 39.7, 41, 41.3, 40.7에 색칠
15 51.6, 16, 56, 54.9에 색칠
16 46, 62.6, 57.6, 61에 색칠
17 66, 59, 55.8, 67에 색칠
18 64, 73.9, 59, 71.3에 색칠

DAY 06 18~19쪽

2. 초과와 미만

1 6 초과인 수
2 9 미만인 수
3 13 초과인 수
4 21 미만인 수
5 23 초과인 수
6 33 미만인 수
7 45 초과인 수
8 48 미만인 수

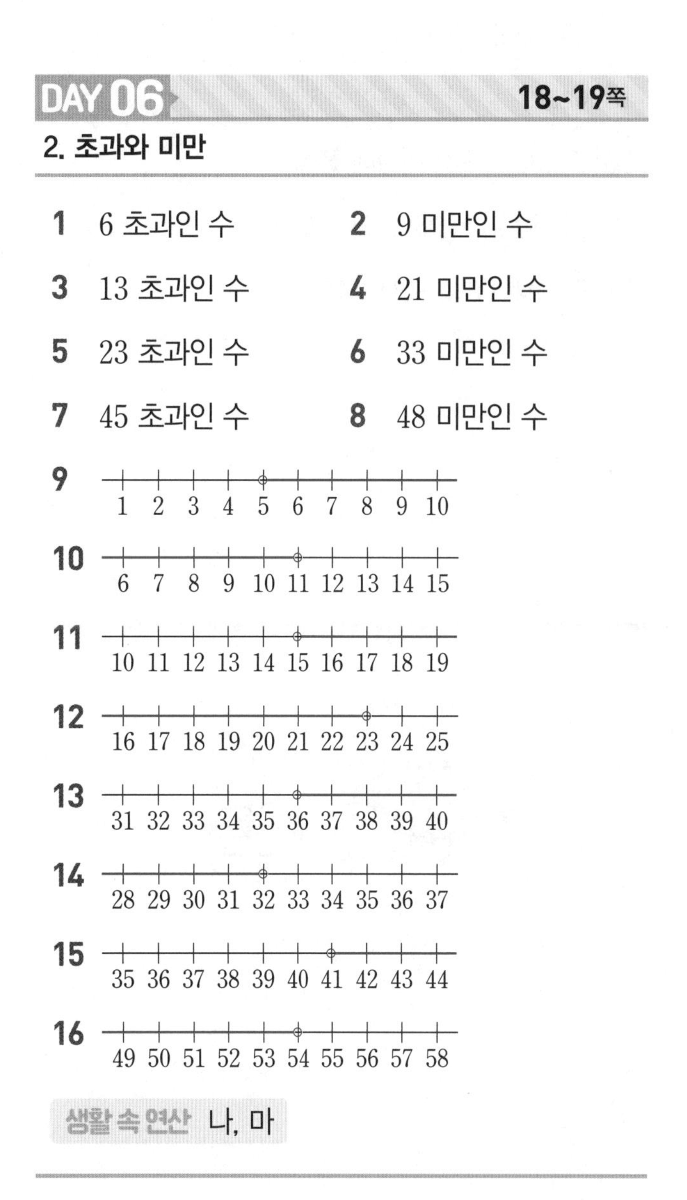

생활 속 연산 나, 마

DAY 07 20~21쪽

3. 수의 범위

1 7, 9, 11에 ○표
2 13, 18, 21에 ○표
3 20, 16, 22에 ○표
4 37, 35, 41에 ○표
5 15, 21, 23에 ○표
6 32, 29, 31에 ○표
7 18, 21, 20에 ○표
8 37, 41, 43에 ○표
9 7, 6.7, 10, 8.9에 색칠
10 13, 21.8, 15.7, 20에 색칠
11 25, 28, 24.3, 27에 색칠
12 38, 35.6, 42, 41에 색칠
13 43, 41, 45, 48.6에 색칠
14 45, 52.5, 49.1, 50.6에 색칠
15 64.7, 71, 72.1, 67에 색칠
16 77, 83.2, 80, 79.9에 색칠
17 81, 84.5, 87, 82.3에 색칠
18 99, 94, 96.3, 95에 색칠

DAY 08 22~23쪽

3. 수의 범위

1 4, 5, 6, 7, 8
2 10, 11, 12, 13
3 17, 18, 19
4 25, 26, 27, 28
5 28, 29, 30, 31
6 44, 45, 46, 47, 48
7 50, 51, 52, 53, 54
8 59, 60, 61
9 67, 68, 69, 70, 71
10 88, 89, 90, 91, 92
11 7, 6, 8.6
12 14.3, 11, 15.7
13 14.5, 13, 17, 16.1
14 30, 28, 29.5
15 37.8, 35, 44, 38.2
16 56, 57.8, 58
17 39, 36.5, 38
18 47.4, 44, 45

DAY 09 24~25쪽

3. 수의 범위

1 1 2 3 4 5 6 7 8 9 10
2 11 12 13 14 15 16 17 18 19 20
3 15 16 17 18 19 20 21 22 23 24
4 18 19 20 21 22 23 24 25 26 27
5 43 44 45 46 47 48 49 50 51 52
6 75 76 77 78 79 80 81 82 83 84
7 이상
8 초과
9 초과, 이하
10 이상, 미만
11 이상, 이하
12 초과, 미만
13 초과, 이하
14 이상, 미만

생활 속 연산 서울, 대구, 부산

DAY 10 26~27쪽

마무리 연산

1 17, 21.5, 19에 ○표
2 27.5, 40, 33에 ○표
3 11, 10.7, 6에 ○표
4 28, 16, 31에 ○표
5 32, 30.5, 29에 ○표
6 53, 43.6, 49에 ○표
7 48, 50.3, 32에 ○표
8 59, 62.7, 61에 ○표
9 25, 31, 29.6에 ○표
10 36, 38.5, 40에 ○표
11 47.6, 49, 54에 ○표
12 81, 79, 76.5에 ○표
13 6 이상인 수 14 14 이상인 수
15 11 이하인 수 16 21 이하인 수
17 45 초과인 수 18 53 초과인 수
19 39 미만인 수 20 64 미만인 수
21 27 이상 32 이하인 수
22 19 초과 23 미만인 수
23 42 이상 48 미만인 수
24 76 초과 81 이하인 수

2단계 어림하기

DAY 01 30~31쪽

1. 올림

1 140에 ○표 2 330에 ○표
3 470에 ○표 4 670에 ○표
5 600에 ○표 6 300에 ○표
7 800에 ○표 8 700에 ○표
9 1430 10 1390 11 4010
12 6110 13 1600 14 3300
15 6000 16 7100 17 3000
18 7000 19 4000 20 9000

DAY 02 32~33쪽

1. 올림

1 0.3에 ○표 2 0.5에 ○표
3 1.6에 ○표 4 3.8에 ○표
5 0.72에 ○표 6 0.64에 ○표
7 4.27에 ○표 8 5.05에 ○표
9 1.2 10 0.3 11 3.4
12 2.2 13 6.6 14 1.1
15 1.05 16 3.68 17 2.76
18 7.16 19 4.53 20 8.04

DAY 03 34~35쪽

1. 올림

1 140　2 1800　3 300
4 7000　5 1900　6 0.5
7 4.38　8 3500　9 9310
10 15000　11 4　12 1.51
13 13600　14 25000　15 63000
16 55000　17 14.9　18 13.6
19 41.48　20 20.8

DAY 04 36~37쪽

1. 올림

1 2640　2 4800　3 3.59
4 13.7　5 6000　6 5170
7 1.8　8 3500　9 7.91
10 60000　11 1　12 19000
13 (위에서부터) 250, 300/4700, 4700
14 (위에서부터) 3400, 4000/19000, 19000
15 (위에서부터) 5.5, 5.44/3.8, 3.79
16 (위에서부터) 23, 22.5/13, 12.9

생활 속 연산 15000원

DAY 05 38~39쪽

2. 버림

1 260에 ○표　2 410에 ○표
3 600에 ○표　4 360에 ○표
5 100에 ○표　6 300에 ○표
7 700에 ○표　8 800에 ○표
9 2320　10 1830　11 5380
12 6220　13 1700　14 3000
15 4200　16 6500　17 1000
18 5000　19 7000　20 9000

DAY 06 40~41쪽

2. 버림

1 0.2에 ○표　2 0.4에 ○표
3 3.6에 ○표　4 4에 ○표
5 0.22에 ○표　6 0.99에 ○표
7 3.5에 ○표　8 4.65에 ○표
9 0.5　10 1.9　11 3.6
12 4.2　13 7.5　14 6
15 3.37　16 2.2　17 5.93
18 4.53　19 7.06　20 6.09

DAY 07 42~43쪽

2. 버림

1 470	2 1600	3 700
4 3000	5 0.6	6 1600
7 1.53	8 7100	9 62000
10 1.7	11 12	12 3.57
13 23500	14 74100	15 32000
16 45000	17 18.1	18 21.5
19 5.43	20 13.4	

DAY 08 44~45쪽

2. 버림

1 2460	2 1800	3 0.4
4 7000	5 4.2	6 0.83
7 5080	8 50000	9 3600
10 2.6	11 13	12 40000

13 (위에서부터) 420, 400/1900, 1900

14 (위에서부터) 4700, 4000/16000, 16000

15 (위에서부터) 0.6, 0.63/3, 3.06

16 (위에서부터) 18, 18.4/30, 30.5

생활 속 연산 47000원

DAY 09 46~47쪽

3. 반올림

1 150에 ○표	2 530에 ○표
3 310에 ○표	4 480에 ○표
5 200에 ○표	6 600에 ○표
7 600에 ○표	8 800에 ○표

9 1220	10 1450	11 3710
12 6020	13 4400	14 5100
15 7500	16 6300	17 5000
18 4000	19 6000	20 6000

DAY 10 48~49쪽

3. 반올림

1 0.4에 ○표	2 0.5에 ○표
3 4.7에 ○표	4 7에 ○표
5 0.46에 ○표	6 0.54에 ○표
7 2.82에 ○표	8 5.4에 ○표

9 0.4	10 2.3	11 4.5
12 3.7	13 0.4	14 3.3
15 7.62	16 4.35	17 3.61
18 2.62	19 6.71	20 9.18

DAY 11 50~51쪽

3. 반올림

1 150	**2** 3000	**3** 2400
4 3	**5** 0.4	**6** 15000
7 1.36	**8** 400	**9** 3600
10 5.8	**11** 11	**12** 4.69
13	**14**	**15**

DAY 12 52~53쪽

3. 반올림

1 1200	**2** 3000	**3** 5350
4 4.8	**5** 1.46	**6** 16
7 4540	**8** 8300	**9** 16000
10 3.73	**11** 22.4	**12** 20000

13 (위에서부터) 390, 400/2520, 2500

14 (위에서부터) 2600, 3000/45700, 46000

15 (위에서부터) 0.4, 0.43/1.7, 1.67

16 (위에서부터) 15, 15.3/13, 12.5

생활 속 연산 147 cm

DAY 13 54~55쪽

마무리 연산

1 180	**2** 1900	**3** 5000
4 5.3	**5** 2.54	**6** 5
7 1530	**8** 6800	**9** 14000
10 0.7	**11** 5.28	**12** 3
13 480	**14** 3110	**15** 6300
16 14800	**17** 6000	**18** 16000
19 0.3	**20** 4	**21** 0.26
22 6.37	**23** 3	**24** 8

3단계 분수의 곱셈

DAY 01 58~59쪽

1. (진분수)×(자연수)

1 6, 9, 1, 2/3, 3, 9, 1, 2

2 10, 25, 25, 4, 1/5, 5, 25, 4, 1

3 2, 6, 1, 1
4 4, 10, 10, 3, 1

5 6, 21, 21, 5, 1
6 2, 2, 16, 5, 1

7 2, 2, 10, 3, 1
8 3, 3, 27, 6, 3

DAY 02 60~61쪽

1. (진분수)×(자연수)

1 4
2 $2\frac{1}{10}$
3 $1\frac{1}{3}$
4 $6\frac{1}{4}$
5 $3\frac{1}{3}$
6 $5\frac{1}{4}$
7 $3\frac{1}{5}$
8 $6\frac{3}{7}$
9 $8\frac{4}{5}$
10 $4\frac{2}{3}$
11 $10\frac{2}{3}$
12 $2\frac{1}{12}$
13 $8\frac{2}{5}$
14 $7\frac{4}{5}$
15 $4\frac{2}{7}$
16 6
17 $7\frac{1}{2}$
18 $1\frac{2}{3}$
19 $5\frac{5}{9}$
20 $10\frac{2}{3}$
21 $5\frac{5}{8}$
22 $8\frac{2}{3}$
23 $9\frac{3}{5}$
24 $9\frac{5}{7}$

DAY 03 62~63쪽

1. (진분수)×(자연수)

1 $2\frac{1}{4}$
2 $6\frac{2}{3}$
3 $6\frac{2}{3}$
4 $2\frac{4}{5}$
5 $5\frac{5}{6}$
6 $4\frac{1}{2}$
7 $7\frac{1}{3}$
8 $4\frac{4}{5}$
9 $3\frac{1}{3}$
10 $5\frac{1}{3}$
11 $3\frac{3}{8}$
12 $12\frac{6}{7}$
13 $3\frac{3}{5}$
14 $3\frac{2}{3}$
15 $2\frac{2}{5}$
16 $3\frac{1}{8}$
17 $4\frac{2}{3}$
18 12
19 $7\frac{1}{5}$
20 $4\frac{4}{5}$
21 $10\frac{2}{3}$
22 $9\frac{1}{6}$
23 $6\frac{3}{4}$
24 $4\frac{1}{5}$
25 $8\frac{1}{3}$
26 $6\frac{2}{5}$

DAY 04 64~65쪽

1. (진분수)×(자연수)

1 $1\frac{1}{3}$
2 4
3 $4\frac{3}{8}$
4 $5\frac{2}{5}$
5 $7\frac{4}{5}$
6 $6\frac{10}{11}$
7 $3\frac{1}{5}$
8 $4\frac{2}{7}$
9 $9\frac{7}{9}$
10 $5\frac{1}{5}$
11 $6\frac{1}{2}$
12 $5\frac{2}{3}$
13 $9\frac{1}{5}$
14 $8\frac{8}{9}$
15 $1\frac{1}{5}$, $2\frac{1}{7}$
16 $10\frac{1}{2}$, $2\frac{2}{3}$
17 $2\frac{7}{10}$, $9\frac{1}{3}$
18 $4\frac{4}{5}$, $6\frac{2}{3}$
19 $1\frac{9}{13}$, $5\frac{5}{8}$
20 $8\frac{1}{2}$, $11\frac{2}{5}$

생활 속 연산 6판

DAY 05 66~67쪽

2. (대분수)×(자연수)

1 4, 8, 2, 2/2, 2, 2, 2

2 12, 12, 36, 7, 1/6, 6, 6, 7, 1

3 11, 3, 11, 3, 33, 8, 1

4 7, 2, 7, 2, 14, 4, 2

5 20, 2, 20, 2, 40, 13, 1

6 6, 9, 6, 7, 2

7 1, 3, 5, 3, 5, 1, 1, 6, 1

8 2, 9, 1, 8, 9, 8, 1, 4, 9, 4

DAY 06 68~69쪽

2. (대분수)×(자연수)

1 $3\frac{3}{4}$ 2 $2\frac{2}{3}$ 3 $16\frac{1}{2}$

4 $14\frac{2}{3}$ 5 $9\frac{1}{2}$ 6 34

7 $9\frac{1}{3}$ 8 $3\frac{9}{10}$ 9 $19\frac{1}{3}$

10 $4\frac{6}{7}$ 11 $11\frac{2}{5}$ 12 $20\frac{1}{2}$

13 $18\frac{4}{5}$ 14 $20\frac{1}{2}$ 15 $4\frac{1}{2}$

16 $5\frac{3}{5}$ 17 $7\frac{6}{7}$ 18 $12\frac{3}{4}$

19 $19\frac{1}{2}$ 20 $7\frac{3}{5}$ 21 $9\frac{3}{13}$

22 $15\frac{5}{6}$ 23 $10\frac{1}{2}$ 24 $22\frac{7}{8}$

DAY 07 70~71쪽

2. (대분수)×(자연수)

1 8 2 $5\frac{1}{2}$ 3 $9\frac{3}{5}$

4 $10\frac{1}{2}$ 5 $9\frac{1}{3}$ 6 $11\frac{1}{3}$

7 $19\frac{1}{2}$ 8 18 9 $6\frac{4}{5}$

10 $14\frac{1}{2}$ 11 $14\frac{1}{4}$ 12 $20\frac{1}{2}$

13 $11\frac{5}{7}$ 14 $24\frac{7}{12}$ 15 $2\frac{2}{5}$

16 $7\frac{2}{7}$ 17 26 18 $10\frac{1}{2}$

19 $13\frac{3}{4}$ 20 $10\frac{1}{3}$ 21 $16\frac{1}{5}$

22 $6\frac{1}{3}$ 23 $8\frac{5}{7}$ 24 $25\frac{1}{3}$

25 $20\frac{1}{3}$ 26 $22\frac{4}{13}$

DAY 08 72~73쪽

2. (대분수)×(자연수)

1 $6\frac{4}{5}$ 2 $8\frac{1}{2}$ 3 $12\frac{6}{7}$

4 $17\frac{1}{4}$ 5 $9\frac{1}{2}$ 6 $22\frac{2}{3}$

7 $13\frac{1}{5}$ 8 $19\frac{1}{3}$ 9 $16\frac{5}{7}$

10 $22\frac{4}{5}$ 11 $11\frac{7}{9}$ 12 $15\frac{4}{5}$

13 $35\frac{2}{3}$ 14 $22\frac{1}{3}$

15 (위에서부터) $11\frac{1}{4}$, $22\frac{1}{2}$

16 (위에서부터) $38\frac{2}{3}$, $14\frac{1}{2}$

17 (위에서부터) $26\frac{2}{5}$, $29\frac{1}{3}$

18 (위에서부터) $24\frac{2}{3}$, $27\frac{3}{4}$

생활 속 연산 $9\frac{3}{5}$ L

DAY 09 74~75쪽

3. (자연수)×(진분수)

1 5, 20, 20, 6, 2/4, 4, 20, 6, 2

2 5, 15, 15, 3, 3/3, 3, 15, 3, 3

3 3, 9, 1, 4

4 3, 3, 3

5 5, 10, 10, 3, 1

6 2, 2, 14, 2, 4

7 5, 5, 45, 5, 5

8 4, 4, 28, 5, 3

DAY 10 76~77쪽

3. (자연수)×(진분수)

1 $2\frac{1}{2}$	2 2	3 $\frac{2}{3}$
4 $1\frac{3}{5}$	5 $4\frac{1}{2}$	6 $8\frac{1}{3}$
7 $\frac{6}{7}$	8 $2\frac{1}{4}$	9 $3\frac{3}{4}$
10 $4\frac{1}{2}$	11 $9\frac{1}{3}$	12 $6\frac{3}{10}$
13 $9\frac{1}{3}$	14 $2\frac{1}{7}$	15 $1\frac{1}{2}$
16 $\frac{1}{2}$	17 $2\frac{1}{2}$	18 6
19 $5\frac{2}{5}$	20 $6\frac{2}{3}$	21 $16\frac{1}{2}$
22 $4\frac{4}{5}$	23 $7\frac{1}{5}$	24 $5\frac{1}{4}$

DAY 11 78~79쪽

3. (자연수)×(진분수)

1 $1\frac{1}{2}$	2 $1\frac{1}{5}$	3 $6\frac{2}{3}$
4 $1\frac{5}{7}$	5 $2\frac{1}{2}$	6 $1\frac{1}{3}$
7 $5\frac{4}{9}$	8 $3\frac{1}{2}$	9 $5\frac{1}{4}$
10 $7\frac{1}{3}$	11 $2\frac{2}{3}$	12 $6\frac{2}{3}$
13 $5\frac{3}{5}$	14 $5\frac{2}{5}$	15 $1\frac{1}{7}$
16 $3\frac{1}{2}$	17 $4\frac{1}{2}$	18 $3\frac{1}{3}$
19 $10\frac{1}{2}$	20 $5\frac{5}{8}$	21 $7\frac{4}{5}$
22 $5\frac{4}{9}$	23 $12\frac{3}{4}$	24 $15\frac{5}{6}$

DAY 12 80~81쪽

3. (자연수)×(진분수)

1 $1\frac{2}{3}$	2 $4\frac{1}{2}$	3 $3\frac{1}{5}$
4 8	5 $5\frac{2}{5}$	6 $5\frac{1}{4}$
7 $7\frac{7}{8}$	8 $4\frac{4}{15}$	9 $5\frac{1}{5}$
10 $6\frac{2}{3}$	11 $9\frac{1}{3}$	12 $6\frac{7}{8}$
13 $1\frac{5}{7}$	14 $7\frac{4}{5}$	

15 $4\frac{1}{2}$, 6

16 $2\frac{4}{5}$, $8\frac{2}{5}$

17 $2\frac{1}{12}$, $4\frac{1}{6}$

18 $2\frac{1}{5}$, $14\frac{2}{3}$

19 $9\frac{1}{2}$, $12\frac{2}{3}$

20 $8\frac{1}{2}$, $10\frac{1}{5}$

생활 속 연산 9명

DAY 13 82~83쪽

4. (자연수)×(대분수)

1 4, 8, 2, 2/2, 2, 2, 2

2 13, 13, 26, 5, 1/4, 6, 4, 5, 1

3 2, 7, 2, 7, 14, 4, 2

4 3, 9, 3, 9, 27, 6, 3

5 1, 20, 1, 20, 20, 6, 2

6 2, 5, 6, 5, 6, 2, 1, 8, 1

7 1, 1, 5, 6, 5, 6, 2, 1, 8, 1

8 1, 3, 2, 9, 6, 9, 1, 1, 10, 1

DAY 14 84~85쪽

4. (자연수)×(대분수)

1 $7\frac{1}{2}$ 2 $3\frac{1}{3}$ 3 $6\frac{1}{4}$

4 $16\frac{1}{2}$ 5 $2\frac{2}{5}$ 6 $8\frac{2}{3}$

7 $5\frac{1}{2}$ 8 $8\frac{1}{4}$ 9 $12\frac{6}{7}$

10 24 11 $14\frac{2}{3}$ 12 $10\frac{2}{5}$

13 $24\frac{1}{6}$ 14 $19\frac{1}{3}$ 15 $7\frac{4}{5}$

16 $11\frac{1}{3}$ 17 $12\frac{1}{7}$ 18 $23\frac{1}{4}$

19 $15\frac{1}{5}$ 20 $17\frac{1}{4}$ 21 $5\frac{9}{11}$

22 $8\frac{5}{8}$ 23 $20\frac{2}{3}$ 24 $28\frac{1}{2}$

DAY 15 86~87쪽

4. (자연수)×(대분수)

1 14 2 $8\frac{3}{4}$ 3 $7\frac{1}{3}$

4 $8\frac{2}{5}$ 5 $12\frac{1}{2}$ 6 $22\frac{2}{3}$

7 $7\frac{3}{7}$ 8 $12\frac{1}{4}$ 9 $38\frac{3}{4}$

10 $25\frac{1}{3}$ 11 $9\frac{2}{3}$ 12 $19\frac{1}{9}$

13 34 14 $23\frac{2}{5}$ 15 10

16 $14\frac{1}{4}$ 17 $18\frac{3}{4}$ 18 $14\frac{1}{6}$

19 $24\frac{8}{9}$ 20 $15\frac{3}{5}$ 21 $33\frac{1}{2}$

22 $43\frac{3}{4}$ 23 $31\frac{1}{3}$ 24 $24\frac{4}{5}$

DAY 16 88~89쪽

4. (자연수)×(대분수)

1 12 2 $12\frac{3}{4}$ 3 $22\frac{2}{3}$

4 $6\frac{4}{7}$ 5 $23\frac{1}{2}$ 6 $9\frac{1}{3}$

7 $10\frac{1}{9}$ 8 $21\frac{3}{5}$ 9 $9\frac{2}{3}$

10 $12\frac{1}{2}$ 11 $14\frac{1}{2}$ 12 $15\frac{1}{3}$

13 $24\frac{2}{3}$ 14 $11\frac{3}{4}$

15 (위에서부터) 14, $13\frac{3}{5}$

16 (위에서부터) $19\frac{1}{2}$, $15\frac{1}{2}$

17 (위에서부터) $31\frac{1}{2}$, $20\frac{4}{5}$

18 (위에서부터) $36\frac{2}{3}$, $17\frac{1}{4}$

생활 속 연산 45 kg

DAY 17 90~91쪽

5. (진분수)×(진분수)

1 2, 4, 8
2 3, 6, 18
3 4, 5, 20
4 4, 8, 32
5 5, 2, 10
6 5, 5, 25
7 7, 8, 56
8 6, 7, 42
9 $\frac{1}{10}$, $\frac{1}{28}$
10 $\frac{1}{24}$, $\frac{1}{18}$
11 $\frac{1}{30}$, $\frac{1}{32}$
12 $\frac{1}{48}$, $\frac{1}{12}$
13 $\frac{1}{27}$, $\frac{1}{8}$
14 $\frac{1}{55}$, $\frac{1}{24}$
15 $\frac{1}{40}$, $\frac{1}{45}$
16 $\frac{1}{63}$, $\frac{1}{48}$

DAY 18 92~93쪽

5. (진분수)×(진분수)

1 4, 7, 3, $\frac{3}{14}$/1, $\frac{3}{14}$
2 6, 11, 8, $\frac{8}{33}$/2, $\frac{8}{33}$
3 3, 5, $\frac{9}{20}$
4 2, 3, 5, $\frac{5}{12}$
5 3, 8, 3, $\frac{3}{20}$
6 6, 7, 16, $\frac{16}{21}$
7 4, 9, 4, $\frac{4}{15}$
8 8, 9, 28, $\frac{28}{45}$
9 $\frac{3}{14}$
10 1, $\frac{3}{16}$
11 1, $\frac{7}{27}$
12 2, $\frac{10}{39}$
13 1, 1, $\frac{1}{3}$
14 1, 4, $\frac{4}{21}$

DAY 19 94~95쪽

5. (진분수)×(진분수)

1 $\frac{1}{15}$
2 $\frac{1}{63}$
3 $\frac{3}{8}$
4 $\frac{1}{18}$
5 $\frac{6}{35}$
6 $\frac{3}{14}$
7 $\frac{2}{27}$
8 $\frac{3}{22}$
9 $\frac{2}{15}$
10 $\frac{1}{6}$
11 $\frac{4}{33}$
12 $\frac{7}{18}$
13 $\frac{3}{35}$
14 $\frac{1}{6}$
15 $\frac{9}{28}$
16 $\frac{3}{10}$
17 $\frac{1}{6}$
18 $\frac{7}{30}$
19 $\frac{1}{9}$
20 $\frac{12}{25}$
21 $\frac{4}{51}$
22 $\frac{22}{45}$
23 $\frac{1}{9}$
24 $\frac{1}{12}$

DAY 20 96~97쪽

5. (진분수)×(진분수)

1 $\frac{1}{24}$
2 $\frac{1}{33}$
3 $\frac{1}{18}$
4 $\frac{1}{16}$
5 $\frac{4}{7}$
6 $\frac{7}{15}$
7 $\frac{10}{13}$
8 $\frac{1}{6}$
9 $\frac{16}{39}$
10 $\frac{1}{9}$
11 $\frac{1}{6}$
12 $\frac{2}{5}$
13 $\frac{11}{20}$
14 $\frac{4}{21}$
15 $\frac{2}{15}$
16 $\frac{1}{4}$
17 $\frac{2}{21}$
18 $\frac{3}{16}$
19 $\frac{8}{27}$
20 $\frac{5}{18}$
21 $\frac{3}{8}$
22 $\frac{9}{28}$
23 $\frac{13}{33}$
24 $\frac{8}{35}$

DAY 21 98~99쪽

5. (진분수)×(진분수)

1 $\frac{1}{21}$　2 $\frac{1}{40}$　3 $\frac{1}{15}$

4 $\frac{5}{12}$　5 $\frac{2}{9}$　6 $\frac{3}{28}$

7 $\frac{7}{27}$　8 $\frac{1}{12}$　9 $\frac{2}{9}$

10 $\frac{3}{20}$　11 $\frac{1}{4}$　12 $\frac{1}{9}$

13 $\frac{1}{12}$　14 $\frac{6}{25}$

15 (위에서부터) $\frac{1}{8}$, $\frac{2}{9}$

16 (위에서부터) $\frac{1}{4}$, $\frac{14}{39}$

17 (위에서부터) $\frac{1}{4}$, $\frac{4}{15}$

18 (위에서부터) $\frac{3}{16}$, $\frac{13}{34}$

생활 속 연산 $\frac{3}{7}$

DAY 22 100~101쪽

6. (대분수)×(대분수)

1 $\frac{27}{8}$, 3, 3　2 $\frac{21}{8}$, 2, 5

3 7, 3, 7, 3, 21, 4, 1

4 3, 11, 3, 11, $\frac{33}{7}$, 4, 5

5 3, 2, 3, 2, $\frac{3}{2}$, 1, 1

6 $\frac{5}{\cancel{2}_{1}}\times\frac{\cancel{8}^{4}}{7}=\frac{20}{7}=2\frac{6}{7}$

7 $\frac{\cancel{8}^{4}}{5}\times\frac{7}{\cancel{6}_{3}}=\frac{28}{15}=1\frac{13}{15}$

8 $\frac{\cancel{9}^{3}}{5}\times\frac{8}{\cancel{3}_{1}}=\frac{24}{5}=4\frac{4}{5}$

9 $\frac{13}{\cancel{6}_{3}}\times\frac{\cancel{14}^{7}}{9}=\frac{91}{27}=3\frac{10}{27}$

10 $\frac{15}{\cancel{4}_{1}}\times\frac{\cancel{20}^{5}}{7}=\frac{75}{7}=10\frac{5}{7}$

11 $\frac{\cancel{25}^{5}}{\cancel{12}_{4}}\times\frac{\cancel{21}^{7}}{\cancel{5}_{1}}=\frac{35}{4}=8\frac{3}{4}$

DAY 23 102~103쪽

6. (대분수)×(대분수)

1 $1\frac{1}{2}$　2 $4\frac{7}{8}$　3 $4\frac{2}{5}$

4 $5\frac{5}{6}$　5 $4\frac{13}{18}$　6 12

7 $2\frac{5}{6}$　8 $3\frac{9}{20}$　9 $1\frac{11}{15}$

10 3　11 $12\frac{3}{4}$　12 $4\frac{1}{2}$

13 $2\frac{2}{9}$　14 $4\frac{1}{5}$　15 $1\frac{1}{2}$

16 $3\frac{1}{3}$　17 $4\frac{2}{5}$　18 $2\frac{5}{6}$

19 $1\frac{11}{15}$　20 $2\frac{6}{11}$　21 $2\frac{2}{5}$

22 $5\frac{5}{7}$　23 15　24 $5\frac{20}{21}$

DAY 24 104~105쪽

6. (대분수)×(대분수)

1 $1\frac{2}{3}$	2 2	3 $3\frac{2}{3}$
4 $9\frac{4}{5}$	5 $4\frac{1}{16}$	6 $4\frac{7}{8}$
7 $8\frac{8}{9}$	8 $6\frac{3}{10}$	9 5
10 $5\frac{5}{8}$	11 $5\frac{1}{16}$	12 $4\frac{2}{7}$
13 $10\frac{15}{28}$	14 $10\frac{1}{2}$	15 $6\frac{3}{10}$
16 $1\frac{1}{2}$	17 $4\frac{4}{5}$	18 $8\frac{5}{9}$
19 $16\frac{1}{3}$	20 3	21 $4\frac{1}{2}$
22 $4\frac{23}{24}$	23 $2\frac{4}{7}$	24 $7\frac{1}{6}$

DAY 25 106~107쪽

6. (대분수)×(대분수)

1 $2\frac{2}{35}$	2 6	3 $4\frac{22}{27}$
4 $7\frac{1}{3}$	5 $6\frac{1}{2}$	6 $5\frac{3}{7}$
7 $18\frac{2}{3}$	8 $8\frac{2}{5}$	9 $10\frac{2}{11}$
10 $9\frac{17}{30}$	11 $5\frac{5}{13}$	12 $5\frac{3}{5}$
13 $9\frac{19}{60}$	14 $10\frac{10}{39}$	
15	16	17
18	19	20

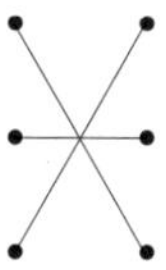

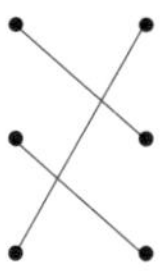

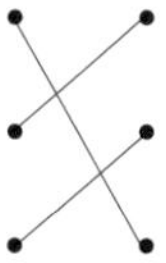

DAY 26 108~109쪽

7. 세 분수의 곱셈

1 1, 1, 2, $\frac{1}{18}$/1, $\frac{1}{18}$

2 2, 4, 24/2, 2, 24

3 2, $\frac{2}{9}$, $\frac{10}{99}$

4 17, 17, 1, $\frac{17}{8}$, 2, 1

5 1, 17, 1, $\frac{17}{14}$, 1, 3

6 1, 3, $\frac{15}{26}$

7 1, 9, 9, 1, 2

8 7, 2, 35, 5, 5

DAY 27 110~111쪽

7. 세 분수의 곱셈

1 $\frac{1}{42}$	2 $\frac{1}{180}$	3 $\frac{3}{20}$
4 $\frac{1}{8}$	5 $\frac{7}{18}$	6 $\frac{5}{44}$
7 $\frac{2}{3}$	8 $4\frac{2}{5}$	9 $\frac{10}{27}$
10 $\frac{1}{7}$	11 3	12 $1\frac{11}{21}$
13 $5\frac{1}{4}$	14 $7\frac{6}{7}$	15 $\frac{1}{30}$
16 $\frac{1}{63}$	17 $\frac{14}{33}$	18 $\frac{12}{25}$
19 $2\frac{1}{3}$	20 $4\frac{4}{9}$	21 $1\frac{1}{14}$
22 $\frac{4}{7}$	23 $4\frac{2}{13}$	24 $5\frac{5}{14}$

DAY 28 112~113쪽

7. 세 분수의 곱셈

1 $\frac{1}{96}$	2 $\frac{1}{70}$	3 $\frac{5}{9}$
4 $\frac{2}{81}$	5 $\frac{7}{72}$	6 $\frac{2}{63}$
7 $2\frac{2}{9}$	8 $9\frac{1}{3}$	9 $\frac{35}{36}$
10 $1\frac{5}{9}$	11 $\frac{3}{5}$	12 $4\frac{10}{11}$
13 $2\frac{5}{8}$	14 $1\frac{7}{48}$	15 $\frac{5}{72}$
16 $\frac{1}{140}$	17 $\frac{5}{21}$	18 $\frac{1}{6}$
19 $\frac{5}{6}$	20 $3\frac{5}{9}$	21 $1\frac{17}{28}$
22 $\frac{44}{45}$	23 $3\frac{1}{3}$	24 $\frac{2}{11}$

DAY 29 114~115쪽

7. 세 분수의 곱셈

1 $\frac{1}{30}$	2 $\frac{1}{14}$	3 $\frac{1}{15}$
4 $\frac{7}{36}$	5 $\frac{5}{28}$	6 $\frac{1}{12}$
7 $\frac{9}{70}$	8 $\frac{5}{12}$	9 $\frac{24}{35}$
10 $1\frac{7}{9}$	11 $2\frac{2}{9}$	12 $6\frac{3}{7}$
13 $2\frac{4}{7}$	14 $5\frac{5}{12}$	

15 $\frac{2}{35}, \frac{2}{9}$　　16 $\frac{1}{10}, \frac{1}{13}$

17 $\frac{1}{9}, 1\frac{1}{2}$　　18 $\frac{15}{16}, \frac{1}{4}$

19 $3, 1\frac{2}{5}$　　20 $1\frac{1}{2}, 1\frac{7}{9}$

생활 속 연산 $\frac{1}{5}$ m

DAY 30 116~117쪽

마무리 연산

1 $4\frac{1}{2}$	2 $7\frac{1}{2}$	3 $9\frac{1}{3}$
4 $6\frac{3}{10}$	5 $4\frac{1}{6}$	6 $11\frac{1}{4}$
7 $8\frac{1}{3}$	8 $3\frac{3}{5}$	9 $21\frac{1}{3}$
10 $12\frac{2}{3}$	11 $11\frac{7}{9}$	12 $10\frac{7}{20}$
13 $17\frac{1}{3}$	14 $25\frac{1}{5}$	15 $5\frac{1}{4}$
16 $12\frac{1}{2}$	17 $5\frac{1}{4}$	18 $11\frac{2}{3}$
19 $8\frac{3}{4}$	20 $9\frac{1}{6}$	21 16
22 $11\frac{1}{3}$	23 $18\frac{3}{4}$	24 $11\frac{1}{2}$
25 $9\frac{2}{3}$	26 $18\frac{2}{3}$	27 $9\frac{5}{6}$
28 $33\frac{3}{4}$		

DAY 31 118~119쪽

마무리 연산

1 $\frac{1}{12}$ 2 $\frac{1}{30}$ 3 $\frac{1}{20}$

4 $\frac{5}{12}$ 5 $\frac{10}{21}$ 6 $\frac{5}{18}$

7 $1\frac{1}{2}$ 8 12 9 $11\frac{3}{7}$

10 $7\frac{1}{2}$ 11 $7\frac{2}{9}$ 12 $2\frac{14}{15}$

13 $13\frac{10}{17}$ 14 $13\frac{5}{12}$ 15 $\frac{1}{56}$

16 $\frac{1}{60}$ 17 $\frac{4}{45}$ 18 $\frac{7}{32}$

19 $\frac{1}{18}$ 20 $\frac{7}{16}$ 21 $\frac{1}{12}$

22 $3\frac{3}{5}$ 23 $\frac{24}{35}$ 24 $6\frac{9}{16}$

25 $2\frac{1}{42}$ 26 $8\frac{4}{7}$ 27 $1\frac{1}{30}$

28 $26\frac{7}{18}$

4단계 소수의 곱셈

DAY 01 122~123쪽

1. (소수)×(자연수)

1 7, 28, 2.8 2 9, 54, 5.4

3 5, 35, 3.5 4 8, 72, 7.2

5 23, 92, 0.92 6 35, 315, 3.15

7 57, 171, 1.71 8 63, 441, 4.41

9 5.6 10 3.6

11 4.2 12 4.8

13 3.2 14 6.3

15 0.72 16 0.81

17 1.52 18 2.58

19 7.02 20 3.78

21

	0.	5	7
×		1	4
	2	2	8
	5	7	
	7.	9	8

22

	0.	4	5
×		2	3
	1	3	5
	9	0	
1	0.	3	5

23

	0.	3	8
×		2	7
	2	6	6
	7	6	
1	0.	2	6

DAY 02 124~125쪽

1. (소수)×(자연수)

1 3.9	2 12.5	3 18.6
4 18.5	5 14.1	6 26.5
7 59.2	8 43.4	9 66.4
10 3.78	11 4.98	12 10.38
13 38.08	14 47.88	15 25.08
16 4.5	17 2.04	18 19.2
19 18.76	20 18.5	21 16.84
22 27.6	23 42.96	24 88.4
25 93.72		

DAY 03 126~127쪽

1. (소수)×(자연수)

1 1.6	2 4.5	3 9.2
4 22.5	5 45.6	6 86.4
7 0.72	8 2.08	9 3.78
10 5.67	11 9.36	12 13.16
13 26.35	14 78.65	15 13.6
16 6.78	17 31.5	18 9.8
19 31	20 11.22	21 46.8
22 65.8	23 121.5	24 112.08

DAY 04 128~129쪽

1. (소수)×(자연수)

1 4	2 5.4	3 13.6
4 20.7	5 27.2	6 28.5
7 2.1	8 2.52	9 15.35
10 33.11	11 63.2	12 93.21
13 100.44	14 136.05	15 5.1, 14.4

16 14.4, 29.6 17 50.4, 115.2

18 17.15, 14.04 19 20.92, 59.04

20 146.7, 108.48

생활 속 연산 4.35 달러

DAY 05 130~131쪽

2. (자연수)×(소수)

1 9, 27, 2.7	2 6, 24, 2.4
3 9, 45, 4.5	4 8, 64, 6.4
5 23, 138, 1.38	6 32, 224, 2.24
7 47, 376, 3.76	8 54, 486, 4.86
9 2.1	10 1.2
11 2.4	12 4
13 5.4	14 5.2
15 0.18	16 0.16
17 0.63	

18

			4
×	0.	2	3
		1	2
		8	
	0.	9	2

19

			3
×	0.	2	7
		2	1
		6	
	0.	8	1

20

			6
×	0.	6	9
		5	4
	3	6	
	4.	1	4

21

		1	1
×	0.	3	6
		6	6
	3	3	
	3.	9	6

22

		1	5
×	0.	4	3
		4	5
	6	0	
	6.	4	5

23

		2	1
×	0.	6	7
	1	4	7
1	2	6	
1	4.	0	7

DAY 06 132~133쪽

2. (자연수)×(소수)

1 3.8 **2** 6.9 **3** 8.4
4 18.5 **5** 28.8 **6** 16.2
7 42.7 **8** 36.5 **9** 60
10 2.46 **11** 8.64 **12** 7.41
13 19.68 **14** 20.95 **15** 35.21
16 4.5 **17** 2.5 **18** 11.5
19 10.08 **20** 14.8 **21** 20.45
22 39.2 **23** 37.74 **24** 71.4
25 84.84

DAY 07 134~135쪽

2. (자연수)×(소수)

1 0.8 **2** 4.9 **3** 7.5
4 10.8 **5** 29.5 **6** 58.4
7 1.04 **8** 2.04 **9** 2.3
10 2.31 **11** 9.03 **12** 21.12
13 34.12 **14** 66.56 **15** 18.5
16 6.78 **17** 15.9 **18** 31.86
19 19.6 **20** 28.56 **21** 49.6
22 75.79 **23** 100.8 **24** 58.86

DAY 08 136~137쪽

2. (자연수)×(소수)

1 1.8 **2** 2.8 **3** 7
4 15.6 **5** 49.6 **6** 17.2
7 72.8 **8** 209 **9** 1.6
10 1.92 **11** 8.82 **12** 21.87
13 55.95 **14** 78.52 **15** 92.76
16 107.91
17 (위에서부터) 8.5, 10.7
18 (위에서부터) 17.4, 10.08
19 (위에서부터) 14.4, 23.32
20 (위에서부터) 37.1, 42.98
21 (위에서부터) 66, 77.76
22 (위에서부터) 54.6, 76.57

생활 속 연산 40.95 kg

DAY 09 138~139쪽

3. (소수)×(소수)

1 4, 7, 28, 0.28 **2** 5, 3, 15, 0.15
3 8, 4, 32, 0.032 **4** 4, 6, 24, 0.024
5 7, 8, 56, 0.056 **6** 3, 9, 27, 0.027
7 6, 8, 48, 0.048 **8** 7, 6, 42, 0.042
9 0.24 **10** 0.18 **11** 0.42
12 0.12 **13** 0.25 **14** 0.63
15 0.012 **16** 0.024 **17** 0.064
18 0.016 **19** 0.045 **20** 0.021
21 0.02 **22** 0.018 **23** 0.028
24 0.036 **25** 0.035 **26** 0.072

DAY 10 140~141쪽

3. (소수)×(소수)

1 1.08 **2** 1.05 **3** 2.16
4 0.42 **5** 0.95 **6** 1.98

7

	3.	4
×	2.	1
	3	4
6	8	
7.	1	4

8

	6.	3
×	1.	2
1	2	6
6	3	
7.	5	6

9

	5.	1
×	1.	5
2	5	5
5	1	
7.	6	5

10

		2.	7
	×	4.	4
	1	0	8
1	0	8	
1	1.	8	8

11

		4.	5
	×	3.	7
	3	1	5
1	3	5	
1	6.	6	5

12

		7.	8
	×	3.	1
		7	8
2	3	4	
2	4.	1	8

13 9.28 **14** 12.88 **15** 7.92
16 16.65 **17** 3.08 **18** 11.75
19 21.28 **20** 23.46 **21** 13.78
22 25.5 **23** 15.96 **24** 41.65

DAY 11 142~143쪽

3. (소수)×(소수)

1 1.029 **2** 2.832 **3** 4.575
4 5.635 **5** 7.168 **6** 5.082
7 1.575 **8** 7.182 **9** 8.534
10 7.098 **11** 9.558 **12** 9.576
13 21.045 **14** 13.776 **15** 36.366
16 0.215 **17** 2.697 **18** 5.254
19 9.672 **20** 8.208 **21** 4.914
22 5.676 **23** 17.01 **24** 38.742
25 29.736

DAY 12 144~145쪽

3. (소수)×(소수)

1 1.012	2 9.214	3 3.164
4 6.328	5 4.872	6 5.632
7 5.586	8 8.174	9 6.095
10 9.18	11 9.331	12 7.828
13 10.266	14 22.82	15 19.908
16 3.836	17 6.804	18 16.29
19 10.833	20 8.192	21 11.072
22 22.578	23 32.019	24 20.169
25 31.525		

DAY 13 146~147쪽

3. (소수)×(소수)

1 0.1456	2 0.182	3 0.108
4 0.1748	5 0.6164	6 0.1276
7 2.5252	8 5.7072	9 6.2568
10 9.8201	11 17.2995	12 19.8924
13 13.529	14 17.7192	15 0.2088
16 0.2356	17 4.8336	18 3.5903
19 12.6132	20 27.753	21 10.0672
22 10.6764	23 14.0976	24 29.158

DAY 14 148~149쪽

3. (소수)×(소수)

1 17.48	2 18.24	3 27.9
4 19.98	5 3.008	6 8.162
7 21.164	8 17.52	9 5.187
10 9.464	11 13.048	12 28.853

13 10.1952	14 15.708
15 6.72, 13.72	16 4.8, 10.95
17 0.918, 6.912	18 13.664, 21.696
19 12.064, 22.048	20 4.23, 12.22
21 14.9112, 38.7144	22 36.0672, 40.8068

생활 속 연산 3.6 L

DAY 15 150~151쪽

4. 곱의 소수점 위치

1 2, 20, 200	2 17, 170, 1700
3 0.9, 9, 90	4 30.8, 308, 3080
5 0.47, 4.7, 47	6 36.12, 361.2, 3612
7 8, 80, 800	8 21, 210, 2100
9 2.6, 26, 260	10 19.8, 198, 1980
11 60.8, 608, 6080	12 4.62, 46.2, 462
13 32.85, 328.5, 3285	14 70.88, 708.8, 7088

DAY 16 152~153쪽

4. 곱의 소수점 위치

1	0.9, 0.09, 0.009	2	0.5, 0.05, 0.005
3	1, 0.1, 0.01	4	4.7, 0.47, 0.047
5	10.4, 1.04, 0.104	6	27, 2.7, 0.27
7	0.4, 0.04, 0.004	8	0.7, 0.07, 0.007
9	1.3, 0.13, 0.013	10	5.1, 0.51, 0.051
11	8, 0.8, 0.08	12	10.4, 1.04, 0.104
13	32.9, 3.29, 0.329	14	94.2, 9.42, 0.942

DAY 17 154~155쪽

4. 곱의 소수점 위치

1	0.32, 0.032	2	0.72, 0.072
3	0.147, 0.147	4	1.242, 1.242
5	7.38, 0.0738	6	49.98, 0.4998
7	0.54, 0.054	8	0.014, 0.0014
9	0.07, 0.007	10	4.24, 0.424
11	2.56, 0.0256	12	0.828, 0.828
13	1.856, 0.1856	14	16.2, 0.162

DAY 18 156~157쪽

마무리 연산

1	2.8	2	2.4	3	7.8
4	40.5	5	25.6	6	36
7	2.08	8	3.01	9	13.36
10	17.45	11	37.38	12	29
13	102.36	14	146.4	15	7.2
16	2.7	17	8.4	18	11.2
19	14.4	20	105.3	21	2.04
22	1.88	23	6.4	24	28.92
25	18.48	26	29.8	27	49.44
28	99.44				

DAY 19 158~159쪽

마무리 연산

1	0.12	2	9.25	3	16.72
4	27.95	5	0.504	6	16.445
7	26.432	8	0.301	9	18.012
10	17.225	11	9.0335	12	17.5344

13	24.5478	14	23.7655
15	6.5, 65, 650	16	2.5, 0.25, 0.025
17	4.28, 42.8, 428	18	54, 5.4, 0.54
19	40.13, 401.3, 4013	20	75.8, 7.58, 0.758
21	0.75, 0.075	22	4.56, 0.0456
23	14.4, 0.144	24	57.66, 0.5766

5단계 평균

DAY 01 162~163쪽

1. 평균 구하기

1	4, 2, 20, 5	2	13, 4, 32, 8
3	9, 6, 4, 40, 4, 10	4	7, 6, 4, 48, 4, 12
5	20, 8, 60, 4, 15	6	8, 16, 56, 14
7	6	8	5
9	7	10	11
11	14	12	17
13	16	14	12
15	15	16	16
17	25	18	23

DAY 02 164~165쪽

1. 평균 구하기

1	9	2	7
3	8	4	8
5	11	6	16
7	18	8	24
9	27	10	19
11	21	12	29
13	60, 15	14	92, 23
15	108, 27	16	124, 31

DAY 03 166~167쪽

1. 평균 구하기

1	36	2	40
3	39	4	43
5	54	6	55
7	56	8	67
9	72	10	60
11	67	12	75
13	430, 86	14	390, 78
15	475, 95	16	415, 83

DAY 04 168~169쪽

1. 평균 구하기

1	7	2	8
3	16	4	17
5	11	6	25
7	14	8	18
9	22	10	28
11	33	12	32
13	17번	14	19번
15	25번	16	24번
17	31번		

DAY 05 170~171쪽

1. 평균 구하기

1	40분	2	33분
3	57분	4	46분
5	85분	6	4월
7	5월	8	10월

생활 속 연산 민지

DAY 06 172~173쪽

마무리 연산

1	6	2	9
3	12	4	16
5	19	6	20
7	23	8	26
9	16	10	18
11	24	12	24
13	240 mL	14	250 mL
15	360 mL	16	선유
17	윤후		

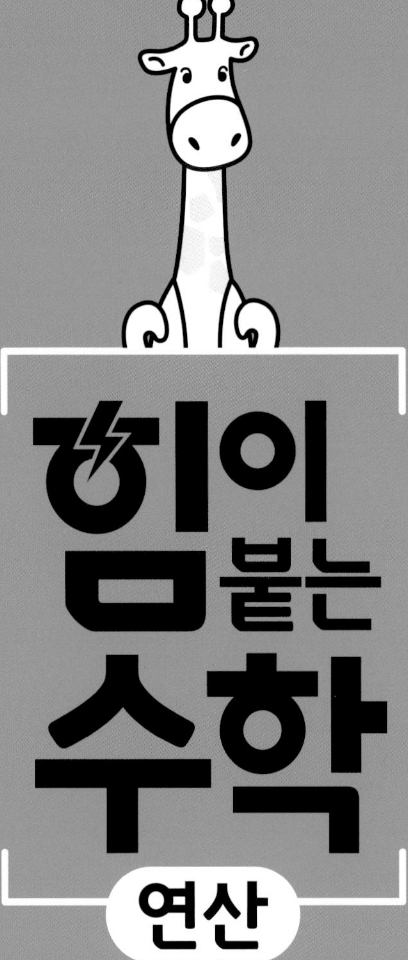

초등 **5B**

힘이 붙는 수학

연산

힘이 붙는 수학 연산